EMRAH SERBES

Erken
Kaybedenler

 i l e t i ş i m

Acılar hatıralaşınca güzelleşir.
CEMİL MERİÇ, *Jurnal* Cilt 1, s.182

İçindekiler

ANNEANNEMİN SON ÖLÜMÜ

Ellerindeki damarları ve yüzündeki kırışıklıkları görseniz yüz elli yaşında zannedersiniz oysaki sadece seksen dört yaşında. Anneannem. Yakın-uzak gözlükleri, bozuk para çantası, keyifli akşamüstlerinde tellendirdiği Ballıca sigarası ve her şeyden önemlisi bitmek tükenmek bilmeyen yalnızlıklara katlanabilme gücüyle gönlüme taht kurmuş bir tiplemedir. Velâkin ondaki bu yalnızlığa katlanabilme gücü bir yandan da hep ürpertmiştir beni. Çünkü sadece ben ve televizyonda gördüğü insanlar yetiyor ona. Misafirliği uzatan komşulardan ve soğuk kış gecelerinde pencerelerin önünde usulca mırıldanan kedilerden bile rahatsız oluyor. Yanında benden başka hiçbir canlının varlığına tahammülü yok. Çoğu ihtiyar böyle değildir, kendilerini terk edilmiş hissederler. Arka balkonlarda unutulmuş paslı su varilleri gibi. Bu yüzden de en ufak bir ilgi belirtisinde hemen yelkenleri suya indirirler. Bayramlarda gözleri dolar örneğin, kendilerinden beklenen bütün basmakalıp tavırları yerine getirirler.

Annem babam olacak insanlar bir trafik kazasında öldüler. Pek üzülmedim. Beni anneanneme bırakıp davetli oldukları bir akşam yemeğine gidiyorlardı. Bıraktıkları yerde kaldım. Bazen ne uzun yemekmiş diye düşünüyorum, sanki dönecekler de üç sene süren yemeği anlatacaklar, yiye yiye yüz elli kilo olmuş olacaklar Allah bilir. Kendini kandırmaca, en sevdiğim oyun. Yoksa bizim arabanın hurdasını da gördüm, girdiği kamyonun altında akordeona dönmüş. Hurdacıdan iki bin lira aldık, anneannem "O para harcanmaz," dedi. Ramazanda fitre verdiği, kendisinden on yaş genç ihtiyar bir teyze vardı, yarı sağır, ona verdi.

Aradan çok uzun zaman geçti, çok büyüdüm, onları özledim mi? Daha çok geceleri. Öfkeyle sıvanmış bir özlem. Bazen sinirden mi gözlerim doluyor, sevgiden mi, özlemden mi, yoksa nostalji ihtiyacından mı bilemiyorum, herhalde alışkanlıktandır deyip uyuyorum. Beni bu çıkmazdan Yasemin kurtarabilirdi, o da düşünmek için biraz süre istedi. Yedi sene önce. Bazen amma uzun düşündü diye düşünüyorum, daha çok günbatımlarında. Sadece gittikleri şehrin ismini biliyorum oysa. Dediğim gibi, kendini kandırmadan yaşamanın ne anlamı var. Çıplak gerçekler kimi tatmin edebilir ki? Bir derviş ya da manyakoğlumanyağın teki değilseniz olayları küçültmeden ya da büyütmeden, oldukları gibi kabul ederek yaşayamazsınız.

Anneannemin en önemli özelliği ölmemesi. Geçirdiği hastalıkların haddi hesabı yok, her türlü badireyi atlattığından olsa gerek hayatta kalma sanatını çok iyi biliyor. Dolabın yanında otuz tane ilacı var, hangisini neden aldığını tam olarak bilmiyorum. Sadece aynılarından içmemesine dikkat ediyorum. Bir gün bütün bu ilaçların plasebo etkisinden başka bir esbabı mucibesi yoktur diye düşündüm, onların yerine değişik renklerde bonibonlar verdim. Öyle değilmiş. Sahiden hastalandı, beni rahmetli dedem Rüstem Bey zannetti. Bir duvardaki fotoğrafa baktım bir de kendime. İçten içe korktuğum, fazla bakmamaya çalıştığım bir fotoğraftı o, dedem de olsa, yirmi beş sene önce ölmüş birinin siyah beyaz fotoğrafı sonuçta. Anneannem beni o fotoğraftaki adamla karıştırıyorsa harbiden hastalanmış demekti. Elini tuttum, buz gibiydi, evdeki bütün battaniyeleri attım üstüne, yeni döşettiğim kaloriferleri sonuna kadar açtım, ayaklarını ısıttığı elektrik sobasını da tuttum yüzüne, böylece ısınıp hayata döndü. Sonra bir daha denemedim bunu. Çünkü anneannem beni bu hayatta anlayan tek kişi, başımı yaslayabileceğim en yumuşak yastıktan daha yumuşak bir insan ve tek bir siyah saçı yok.

Bütün ev ödevlerimi beraber yapıyoruz. Bana ödev verildiğinde anneannem kendine verilmiş gibi sorumluluk duyuyor. Geçen sene matematikten çaktık. Fonksiyonlar zor geldi, çıkamadık işin içinden. Veli toplantısına beraber gittik. Çünkü her yere beraber gideriz. Anneannem matematik hocası olan yeni mezun kızcağızı bir köşeye sıkıştırdı, "Matematik hocası sen misin?" diye sordu.

"Evet teyzecim."

"Sen ne biçim öğretmensin kahpenin doğurduğu kancık! Bu kadar zor ödev verilir mi manyakoğlumanyak..."

İhtiyarlığın güzel yanı şu, ağzına geleni söyleyebiliyorsun, insanlar sadece gülüyor. Çocukluk zor bu açıdan, bir küfredeyim diyorsun, herkes kaşlarını çatıyor. Anneannem bir toplum düşmanı esasında. Ben, anneannemle toplum arasındaki tampon bölgeyim. Çarşıda, pazarda, her yerde. Bana ne kadar yumuşaksa başkalarına o derece sert. Bu durum da hoşuma gitmiyor değil. Yufka yürekli bir insan olsa beni de o yüzden seviyor herhalde derdim, başka insanlardan bir farkım olmazdı o zaman. Anneannemin, sevgisini tek insan üstünde toplayabilme gücü var. Sevgiyi yüzeysel olarak dağıtacağına bir noktada yoğunlaşabiliyor. Sevebilme kapasitesi aynı kapasite, sadece sevilen insan için daha yoğun, daha etkili. Buna da saygı duymak lazım.

Bir de şu var, anneannem bu hayatta fikirlerime gerçekten değer veren tek kişi. Seçimlerde bile danıştı. Oy pusulamızı alıp paravanın arkasına gitmiştik. 'Evet' mührünü aldım, "Kime oy vereceksin anneanne?" diye sordum.

"Bilmem, kime verelim?"

Düşündüm, sorumluluk altında hissettim kendimi, "Boş atalım istersen," dedim.

"Buraya kadar boşuna mı yürüdük?"

Saadet Partisi'yle TKP arasında kararsızlık yaşıyordum. Genellikle muhafazakâr bir insanımdır ama komünizm heyecanını da her zaman yaşamak istemişimdir.

"Anneanne sen solcu musun?" diye sordum.

Sonuçta oy onun, ben sadece yardımcı olmaya çalışıyordum.

"Bir şeyci değilim," dedi.

"Her türlü manipülasyona açıksın yani."

"Evet."

"Bu yaştan sonra komünizm heyecanını yaşamak ister misin?"

"İsterim."

"O zaman oyumuzu Türkiye Komünist Partisi'ne verelim mi? Onlar da seksen dört yaşındaymış, sen de seksen dört yaşındasın. Broşürlerinde okudum."

"E iyidir o zaman, verelim."

Bastım mührü çark çekicin altına. Teyzem oyumuzu komünistlere verdik diye çok kızdı. Anneannem, "Kime istersek ona veririz," dedi. Teyzem de aklınca CHP'ye verdirecek. Ben hiçbir zaman merkezî bir partiye oy vermem, verdirmem, duygusal ve romantik bir insanım, beş yaşından beri şairim ve muhafazakâr olduğum kadar da radikalim, her türlü ortamda kişiliğimi belli ederim yani. Beni bir sefer gören adam bir daha unutmaz zaten, hard jöleyle bütün saç tellerimi tek tek dikiyorum havaya çünkü. Ayrıca imkân ol-

sa terör örgütlerine veririm oyumu çünkü bu devletin yıkıl-
masını istiyorum, çünkü annem babam öldüğü zaman hiç-
bir şey yapmadı devlet, ayrıca Yasemin düşünmek için süre
istediği zaman hiçbir devlet büyüğünün araya girip işleri yo-
luna koymak için çaba sarf ettiğini de görmedim. Hep boş
vaatler; yaralar sarılmadı.

Anneannem Bağ-Kur emeklisi, maaşı düdük kadar. Maaşı-
nı çektiği gün pizzacıya gidiyoruz, sonra çeşitli kurumlarda
sıraya girip elektrik-su-telefon-doğalgaz faturalarını yatıyo-
ruz, eve dönerken dondurma alacak paramız bazen kalıyor,
bazen kalmıyor. Allah'tan rahmetli Rüstem dedemden ka-
lan üç tane ev var, onların kiralarını yiyoruz. Rüstem dedem
vaktinde bir arsa almış, yan yana iki müstakil ev yapmış, bi-
rinde biz otururuz demiş anneanneme birinde de çocuk-
lar. Ben çok küçükken evin birini kat karşılığı verip apart-
man yaptırdılar. Anneannem kendi oturduğu evi yıktırma-
dı. Böylece yandaki apartmandan, toprak sahibi statüsüyle
üç daire sahibi oldu. Daire başına 600 liradan 1800 lira ki-
ra gelirimiz var. Ayın on altısında kiraları toplamaya gidiyo-
ruz, anneannem paraların çoğunu bana veriyor. Harca harca
bitiremiyorum. Bir ay harcamadım, lap top aldım. Ertesi ay
ADSL bağlattım, iki tane kameralı cep telefonu aldım. Dört
megapixel. Sürekli birbirimizi çektik. Ayrıca arka odalardan
birbirimizle muhabbet etmeye, sanki çok uzak yerlerdeymiş
gibi konuşmaya başladık. En sevdiğimiz oyunlardan biri ol-
du bu, sonuçta bir sürü bedava dakikamız var. Ben genel-
likle Kuşadası'ndan telefon eder gibi arıyorum, anneannem
çok seviniyor, "İyice gez çocuğum oraları," diyor. "Ama
üşütme sakın, akşamları serin olur hırkanı giy, denizde çok
açılma." Ben, "Tamam anneanne tamam, şimdi kapatmam
lazım artık," diyorum gittiği tatil beldesindeki her yeri gör-
me telaşındaki turistler gibi. Bunun üzerine o da, "Ağzında
sakız varken su içme!" diye bağırıyor son bir gayretle. Bir

sefer bu yüzden boğuluyordum da. Telefonları kapatıyoruz. Arka odada makul bir süre bekledikten sonra elimdeki boş valizle koşarak giriyorum salona, "Döndüm anneanne!" diye üstüne atlıyorum. Karşısına oturtuyor beni, "E anlat bakalım, tatilin nasıl geçti?" diye soruyor. Ben de o zaman, tatilden yeni dönmüş birinin heyecanıyla başımdan geçen her şeyi yeni baştan, daha detaylı anlatmaya başlıyorum. Anlatırken kendimi o kadar kaptırıyorum ki bazen, sahiden tatile gitmiş olsam bu kadar güzel anlatamazmışım gibi geliyor.

Kira gelirlerinin bir kısmını bankaya yatırıp faturalar için de otomatik ödeme talimatı verdirecektim ama anneannem istemedi, "Ödemez o kopiller," dedi. Ama asıl neden o değil, ayda bir sefer evden çıkıyor, kuyrukta bekliyor, herkesle kavga ediyor, vazgeçemeyeceği bir atraksiyon bu onun için. Ayrıca o öyle koluma tutunup ayakta iki büklüm bekledikçe bizi gören herkes vicdan azabı duyuyor, nerede beklersek o kurumun bütün imajı sarsılıyor.

Geçen aya kadar vaziyet buydu, her şey yolunda gidiyordu. Kazanın yıl dönümünde fıttırdım. Annemle babamı aynı mezara gömdüler çünkü. Hayatta olduğu gibi ölümde de beraberler. Bu dünyaya beni dışlamak için gelmiş iki tip, ölümleri bile değiştiremedi bunu. Moralim o kadar bozuktu ki bakkala gittim, cin tonik istedim, sadece cin verdi, tonik ayrı bir şeymiş ve yokmuş, parka oturdum, birazını içtim.

Hemen Yasemin geldi aklıma. Yasemin'den niye vazgeçtim ki diye sorgulamaya başladım kendimi. Sonuçta biraz düşüneyim demişti ama net bir cevap vermemişti. Onun resmî cevabını öğrenmek için dâhiyane bir plan da yapmıştım vaktinde. Babasının tayininin çıktığı şehre gidecek, en işlek caddede oturacaktım. O şehirde yaşayan herkesin yolunun bir gün mutlaka düşeceği o caddede, gelip geçen bütün insanlara bakacaktım. Ve böylece, makul bir süre bekledikten sonra mutlaka onu da görecektim. Ve o zaman tesadüfen görmüş gibi yapacak, cevabını soracaktım. Ama yapamadım. Neden? Çünkü büyüdükçe arzularım küçüldü, şaşkınlıklarım küçüldü, beklentilerim küçüldü. Büyüdükçe öyle küçüldüm ki içimde taşacak bir şey kalmadı. Büyümenin bir bedeli varsa işte bu, yarım metre uzadım, yirmi kilo aldım ve dünyadan vazgeçtim. Burada şairin dünyası Yasemin oluyor.

Cep telefonum çaldı. Anneannem arıyordu. Hava kararınca merak etmiş.

"Beni neden yanına almadın?" diye sordum. "Beni o kadar seviyordun da annem babam sağken ve çalışıyorlarken ben niye anaokuluna gitmek zorunda kaldım."

"Ben istedim, onlar bırakmadılar."

"Neden?"

"Ne bileyim. Kırk sefer söyledim ya çocuğum, okul öncesi eğitim miymiş her ne sıçtığımın şeyiyse çok mühimmiş dediler."

"Ben sana kaldığım için sevindin mi?"

"Ne?"

"Annem babam öldü, ben sana kaldım. Sana da meşgale oldu. Ben olmasam teyzem bakıcı tutacaktı sana."

Anneannem bir şey demedi. Beş saniye sustuk.

"Eve gel çocuğum, çok üzülüyorum."

Cinin yarısını içtim, yere kustuktan sonra anneanneme haksızlık yaptığımı düşündüm. Kaç sefer kardan adam yapmıştık bahçede. Bayramın birinde Çeşme'ye tatile bile gitmiştik. Kuşadası'nda yer yoktu. Ben bütün rezervasyon işlerini internetten yapmıştım. Hatta oradayken yat turuna bile çıkmıştık, anneannem denize kusmuştu, yine ölüyordu az daha. Kimin için? Tabii ki de benim için. Ayrıca o, bütün dünyaya posta atmış bir insan. Pazarcının yüzüne ezik domatesleri fırlatmıştı bir kere. Bugün eli bıçaklı psikopat pazarcının yüzüne domates fırlatan insan, Roma devrinde yaşasa Spartaküs'ün ordusuna katılmaz mıydı? Kirk

Douglas'ın oynadığı *Spartaküs* filmini seyretmiş ve hayatında en az bir kez pazara gitmiş herkes bu konuda bana hak verecektir.

Anneannemi aradım, daha fazla merak etmesin diye. Telefonu açmadı. Evden aradım, yine açmadı. Döndüm geri. Koltuğa gömülüp kalmıştı, hiç kımıldamıyordu. Yine buz gibi olmuştu.

"Teyzemleri arayayım mı?"

"Yok arama," dedi.

Eh iyi, ben de teyzemlere bayılmıyordum zaten.

"O zaman ben gidip bir doktor getireyim sana filmlerdeki gibi," dedim. "Ama senin de doktor gelene kadar ölmemen lazım. Sakın ölme."

"Tamam."

Üstüne üç tane battaniye attım. Elektrik sobasını ayaklarının dibine koydum. Ama hayat filmlerdeki gibi değil, bir kere akşam olunca bütün doktor muayenehaneleri kapalı, özel polikliniklerdeki doktorlar gelmiyor, hastanedekiler de siz buraya gelin diyorlar. Oysaki ne kadar isteseler verecektim, peşin. Öksüz ve yetimim ama para bende. Doktorların burnu çok büyük.

Eve döndüm, uyumuştu. Bütün gece başında bekledim, ağzına ayna tuttum, buğulanıyordu. Ertesi sabah teyzem aradı. Her sabah arar. Damladılar hemen. Eniştem de işten izin alıp gelmiş. Arabayla hastaneye gittik. Anneannemi bir bölmeye aldılar, serum taktılar, iğne yaptılar. Sonra da, "Yatıracağız," dediler.

"Ne! Yatıracak mısınız? Hani devlet hastanelerinde yeterli yatak yoktu. Bizi mi buldu? İlaçlarını verin, evde yatsın."

Teyzem kolumu çimdiklediği için doktora daha fazla çıkışamadım. Gece oldu. Bir refakatçiden fazlasına izin yokmuş. Teyzem, "Ben kalırım, sen eniştenlerle eve git," dedi.

"Ne! Ben şimdi sizde mi kalacağım?"

Ben bağırınca odadaki diğer hastalar uyandı. Teyzem beni dışarı çıkardı, enişteme teslim etti. Teyzemden ve çocuklarından nefret ediyorum. Teyzemin benle yaşıt kızı, bugüne kadar baş başa kaldığımız her anda dan dun girişti bana. Tabii beni asıl üzen bir kızdan dayak yemek. Bir seferinde canıma tak etmişti, misliyle mukabele edip kafasında vazo kırmıştım. Hemen ağbisi gelmişti, büyük kuzen, on dört yaşında bir azman, iri yarı bir tip, bu sefer de o dövmüştü beni. Bir seferinde teyzem bile tokatlamıştı. "Kancık ne demek ve sen kancık mısın?" diye sormuştum sadece. Sonuçta maaile dövdüler beni, bir tek eniştem dövmedi, o da zamanla onlara uyacaktır. Zaten eniştem de aile dışından biri olduğu için dövmedi herhalde, biraz da ezik bir tiptir, hep bir çekingenlik var üstünde. Çünkü teyzemin de dedemden intikal etmiş bir sürü dairesi var bizim yan apartmanda. Eniştemin bir dairesi bile yok, bundan çekingen herhalde. Oysa anneannem kendi ölçülerine göre sever eniştemi. Anneannem bir insanı görür görmez anasına bacısına küfretmiyorsa ondan hoşlanmış demektir. Ekstradan bir şey söylemesine gerek yok.

Eniştem kolumu tuttu, gülümsedi. "Hadi gidelim," dedi. "Bizde bilgisayarla oynarsın, sana pizza da söylerim." Hasta odasına girip anneanneme son kez baktım, serum mavi damarlarla dolu koluna yavaş yavaş damlıyordu. Eko yapacak bir uçurumun kenarına gidip 'Fuck you!' diye bağırmak istedim. Sıkıntılı anlarda kullanılan bir deyim, Amerikan İngilizcesinde 'canın cehenneme' demek. Eniştemle çıktık hastaneden. Evde, ilk yalnız kaldığımız anda taban girdim teyzemin kızına. Karnına kurşun yemiş gibi iki büklüm oldu, kaldırdım, seri tokatlarla sersemlettim, sonra da tuttum saçından çarptım duvara. Çünkü en iyi savunma hücumdur. Ayrıca ne demişler, acıma yetime koyar götüne. Hah ha ha! Yürü git! Ağlayarak gitti enişteme şikâyet etti. Eniştem geldi, tarafsız bir sertlikle baktı ikimize, "Kavga etmeden uslu uslu oturun," dedi. "Peki eniştе," dedim, sakince oturdum. Teyzemin kızı sinirden bütün gece tırnaklarını yedi.

Ertesi gün eniştem beni evde bıraktı, bir işi varmış, öğleden sonra hastaneye gidecekmiş, beni de o zaman götürecekmiş. Eniştem evden çıkar çıkmaz, teyzemin kızı uçan tekmeyle girdi böğrüme. Ağbisi de geldi hemen. İki kardeş dünün misillemesi babında, bildikleri bütün karate tekniklerini denediler üstümde. Ağlarken telefon çaldı. Anneannemden bir haber vardır diye koştum. Ama teyzemin kızı benden önce açtı telefonu. Diğer azman da kolumu arkama büktü, yaklaşamadım. Teyzemin kızı, "Evet anne," dedi, kaşlarını çattı, "Ya öyle mi?" dedi, telefonu kapattı.

"Ne olmuş?"

"Anneannemiz ölmüş. Başımız sağ olsun."

"Oh my God!"

Sırt çantamı alıp çıktım evden. Minibüse bindim, minibüsten inip otobüse bindim, sonra otobüs vapura bindi, vapurdan indi köprüden geçti, otogara girdi. Otogarda otobüsten indim çevreye baktım, tanıdık yerler değildi. Büfeye gittim, "Bu şehrin en işlek caddesi neresi acaba?" diye sordum. Büfeci güldü.

"Niye gülüyorsun ki?"

"Yürü git lan yürü git!"

Köşedeki taksiciye sorsam mı diye düşündüm. Ama adam dolaştırır, en işlek caddeye götüreceğim diye daha uzak bir yere götürüp bırakır, kendi çıkarını düşünür. Polise sorsam? Devlet memurlarıyla konuşmuyorum, olmaz. En iyisi cep telefonuyla birini aramak. Tanıdık birini arayamam. Kaçtığım anlaşılır. Rastgele bir numara çevirdim, genç bir kız açtı.

"Pardon devlet memuru musunuz?"

"Sapık mısın?"

"Hayır. Memur musunuz?"

"Değilim."

"Güzel. Ben sapık değilim siz de memur değilsiniz. Peki o zaman bu şehrin en işlek caddesi hangisi acaba? Herkesin bir gün mutlaka geçeceği cadde."

"Ne bileyim, İstiklal Caddesi herhalde. Sen kimsin?"

"Bu hayatta rastgele çevirdiği telefon numaralarında karşısına çıkan seslerden başka kimsesi kalmamış biriyim. Belki de ben senin şuuraltınım."

"Kaç yaşındasın sen?"

"Beni boş ver. Konu ben değilim ki. Hiçbir zaman da olmadım. Asıl sen kimsin? Senin heyecanların neler, tutkuların neler, hayal kırıklıkların neler? Şu hayatta başın sıkıştığında ilk kimi ararsın? Seni karşılıksız seven insan kimdir, ne bok yersen ye seni bağrına basacak insan kimdir? Eğer böyle biri varsa bu akşam onu ara, halini hatırını sor bu vesileyle. Yoksa sen de bir gün benim gibi yapayalnız kaldığında, ufacık bir şeyi danışmak için bile arayacak kimseyi bulamazsın. Bu sözlerimi harcanmış yıllarımın manifestosu olarak kabul edebilirsin. Çünkü büyük bir tecrübeyle konuşuyorum, tecrübe ıstıraptır güzelim ve zannettiğinden çok daha fazla ıstırap çektim. İstersen sonra yine araşalım, daha 64 dakika bedava konuşma hakkım var çünkü."

Taksiye atladım. Dikizden tip tip baktı.

"Paran var mı?"

"Var."

Bir ellilik verdim.

"İstiklal Caddesi'ne yeter mi?"

Namuslu adammış, paranın üstünü de verdi. Caddede bir aşağı bir yukarı dolaştım, gelip geçen herkesi görebileceğim merkezî bir yer aradım ama ne gezer. Ben İçişleri Bakanı olsam bir caddede bin kişiden fazla kişinin dolaşmasına izin vermem. Bir köşede durup insan yüzlerine baktım. Bunca sene sonra tanıyabilecek miydim acaba? Gözlerimi kapadım, Yasemin karşımdaydı. Sevgi budur, gözlerini kapadığında oradadır ve bir milyon sene sonra bir milyon insan arasında da görsen, ha işte o dersin.

Anaokulundayken herkesin bardağının üstünde kendi ismi yazılıydı. Akşamüstleri bu bardaklarda, ebeveynlerimiz gelip bizi almadan, duble sulu paşa çaylarımızı içine pötibör bisküvileri batıra batıra büyük bir keyifle içerdik. Tadı bir boka benzemezdi ama yine de güzel geliyordu. Artık o günün bittiğini, o işkence yuvasından kurtulacağımızı hatırlattığı için güzel geliyordu herhalde. Yasemin batırdığı bisküvi parçası çayın içine düşünce ağlamaya başlamıştı. Öğretmen kızların aklı bir karış havadaydı, başka yere bakıyorlardı. Gerçek bir centilmen gibi yerimden kalkıp yanına gitmiştim, çay kaşığımla çıkarmıştım bisküvi ölüsünü. O da akşam annesiyle giderken dönmüş, el sallamıştı bana. Bizimkiler henüz gelip almamışlardı beni, ölmeden önce de bekletmesini çok severlerdi. Ertesi gün Yasemin'e evlenme teklif ettim, bu kadar flört dönemini yeterli görmüştüm, işin ciddiyetinin sarsılmasını istemiyordum ve şu gerçeği çok iyi idrak etmiştim ki kaç yaşında olursa olsun her kızın hayalidir evlenmek. İşte o zaman Yasemin, düşünmek için biraz süre istemişti. O anda başka şeyler de söylemiş olabilir ama unuttum. Sonuçta sevilen her kadın güzel bir şarkıdır, bütün sözlerini hatırlayamazsın belki ama melodisi aklında kalır.

İki ay sonra taşındılar. Çok ağladım. Ben ağladıkça millet güldü. Annem, babam, arkadaşlar, öğretmenler. Önce niye ağlıyorsun diye soruyorlar, sebebini söyleyince de gülüyorlar. Allah belanızı versin! Bir tek anneannem gülmemişti bu romantik hikâyeye, o da benimle beraber ağlamıştı. Zaten anneannem de benim gibi duygusal ve romantik bir insandır. Otuz beşinden sonra kocasını bırakıp Rüstem Bey'e kaçmış. Peşlerine düşmüşler. Bıçaklar çekilmiş, silahlar atılmış. Sonra vali ve tümen komutanı girmiş araya, çünkü Rüstem dedem de önemli bir tipmiş, kaymakam vekili mi, mal müdürü mü, her neyse işte. Anneannem kırkına doğru annemi ve teyzemi doğurmuş üst üste. İlk kocasından çocuğu yok, sevmediği adamdan çocuk yapmak istememiş, işte bir kişilik belirtisi daha. Annem de beni doğurmak için otuz beşine kadar beklediğinden, ben bu yaşa gelinceye kadar anneannem seksen dört oldu tabii. Çok yazık. Ellili yaşlarında tanımak isterdim onu, Rüstem dedem henüz ölmemişken.

Sabaha karşı devriye gezen iki polis geldi. Kırmızı giymişler, Yunus diye tabir edilen tipler. "Sorry sir, I am so sorry sir, I don't understand," diyerek turist ayağına yattım ama yemediler.

"Ne yapıyorsun burada?"

"Nothing sir..."

"Adam gibi konuş lan."

"Hiç... Hiçbir şey yapmıyorum efendim."

"Annen baban nerede?"

"Öldüler."

"Başka kimsen yok mu?"

"Yok."

"Nerede kalıyorsun?"

"Hiçbir yerde."

"Ne yapıyorsun sokakta?"

"Hiç."

"Sikerim hiçini, ne yapıyorsun lan?"

"Yasemin'i bekliyorum."

"Yasemin kim?"

"Nişanlım."

Koluma girdiler, motorlarının yanına gittik. Birileriyle irtibat kurdular. Sonra güler yüzlü bir kadın geldi. Üstünde ördek resimleri olan bir arabaya bindik. Tam kurtuldum zannediyordum, onlar da çocuk polisiymişler. Kutu kola istedim, bir de Eti Browni. Parasını vereyim dedim, almadılar.

"Yasemin'in soyadı ne?"

"Bilmiyorum."

"İnsan nişanlısının soyadını bilmez mi?"

"Yani insan beş yaşındayken böyle ayrıntılara pek önem vermiyor."

Çapraz sorguya aldılar. Her şeyi itiraf ettim.

"Tamam, nişanlı değiliz. Sadece düşünmek için biraz süre istemişti, tamam mı? Onu da filmlerde öyle söylendiğini duyduğu için söylemiş olabilir. Şimdi mutlu musunuz?

Çevreme toplanmış polisler şaşkınca birbirlerine baktılar. "Ayrıca ben bir komünistim," diye ekledim.

Cep telefonumu almışlardı. Teyzemleri aramışlar. Öğlene doğru damladılar, tanımıyorum ayağına yattım. Yine yemediler. Cep telefonu berbat bir şey, toplumun boynumuza taktığı tasma, keşke yanıma almasaydım. Cep telefonum yok, kimliğim yok, belki bir yetimhaneye falan yerleştirirlerdi sevabına. Arabada geri dönerken teyzem, "Çocuğum niye kaçıyorsun, biz sana ne yaptık?" diye sordu.

"Anneannem öldükten sonra oralarda durmamın bir anlamı yok."

"Ölmedi ki..."

Teyzemin kızına baktım.

"Niye yalan söyledin lan?"

"Ben bir şey söylemedim."

"Hâlâ yalan söylüyorsun. Demek ki sen bir kancıksın. Kahpenin doğurduğu bir kancık!"

Ensesine vurdum elimin içiyle. İki yana toplanmış saçları öne gitti geldi. İşte o zaman, anneannemin fatura kuyruklarında ayağına basanlara ettiği en etkili küfrü haykırdım kulak zarına: "Amın sıçtığı salak! Senin yüzünden bir anda dünyam karardı."

Teyzem bir şey söyleyecek gibi oldu ama eniştem onu elini sertçe sallayarak susturdu, "Hepinizden bıktım," dedi. Bunu o kadar içten söyledi ki yoğun bir sessizlik kapladı arabayı. Kibrit çaksan patlayacak bir atmosfer oluştu. İlk kıvılcım kimden çıktı bilmiyorum ama aynı anda birbirlerine bağırmaya başladılar. Teyzem kızına, kızı bana, eniştem büyük kuzene, teyzem enişteme... Az kalsın karşıdan gelen bir kamyonun altına giriyorduk. Eniştem sağa çekti. Tek laf daha eden olursa arabayı önüne çıkan ilk şarampole yuvarlayacağını belirtti, sustular. Benim zaten konuşmaya niyetim yoktu. Münakaşa edemeyecek kadar kırılmıştı kalbim. En zayıf noktamdan vurmuşlardı. Tamam, bugüne kadar ben de pek çok yalan söyledim ama gidip de kimseye anneannen öldü demedim, böyle kancıklık olmaz. Anneannem ölmediği için içimden seviniyordum ama o ortamda asla belli etmek istemediğim bir sevinçti bu. Yoldaki elektrik direklerini saydım, 1494 tane.

Hastaneye vardık. Anneanneme sarıldım, yanaklarından öptüm, kokusunu içime çektim. "Anneanne ölmeyeceksin değil mi?" diye sordum. "Sen ölürsen ben yapayalnız kalırım. Ve biliyorsun yalnızlık berbat bir şey. Lütfen ölme! Biz muhteşem bir ikiliyiz. Ölmeyeceksin değil mi?"

Anneannem soğumuş parmaklarıyla elimi sıktı, bana sevgiyle baktı. "Ah Rüstem Bey," dedi. "Ben sensiz ölür müyüm hiç?"

Zannettiğin Gibi Değil

Barın önünde durmuş, herhangi birinin çıkmasını bekliyordum. El ele tutuşmuş iki sevgili çıkarken kapıyı tutup girdim, barmene bakmadan yürüdüm. Barmenleri sevmem, genellikle gıcık insanlardır. Dünyanın en önemli işinin kokteyl yapmak olduğunu zanneden, bu yanılgının büyüsüyle de kasım kasım kasılan tiplerdir; yüzlerini görmeye bile tahammül edemiyorum.

Barın kuytu köşesinde Nilüfer'i gördüm. Böyle kasvetli gecelerde tanıdık bir genç kızla karşılaşmak çok hoştur. Beni görünce ayağa kalktı, ince beline iki parmağımla dokunup yanaklarından öptüm, yanına oturdum. Bir an gözleri ışıldadı. O arada baş dönmesi gibi birşeyler de hissetmiş olabilir. Zira yanaklarını öperken kokusunu içime çekince benim bile biraz başım dönmüştü. Zaten benim gibi görmüş geçirmiş adamlar için aşk, bir genç kızın baştan çıkmak üzere olduğu anlarda başlar.

"Serhat'ı gördün mü?" diye sordu.

Baştan çıkmak üzere olduğunu anladığı için böyle bir şey sorduğunu biliyordum. "Bırak şu iti," dedim. Güldü.

"Böyle konuşma," dedi.

Her zamanki askılılarından birini giymişti. Göğüsleri limon gibiydi ama dikti. Ne giyerlerse giysinler Nilüfer gibi kızları çıplak hayal etmek çok kolaydır.

"Serhat'ı mı bekliyorsun?"

"Evet," dedi çaktırmamaya çalıştığı bir hüzünle. "Bir saat önce gelmesi gerekiyordu. Telefona da cevap vermiyor."

"Serhat gibi itler böyledir, senin gibi güzel kızları bekletmekten zevk alırlar. Geldiği zaman çenesine bir yumruk oturtmamı ister misin?"

Yine güldü, elinin dışıyla yanağıma dokundu. Elleri o kadar ılıktı ki, Serhat gelmezse diye, beni yedekte tutmak için bacaklarının arasına sokup gizlice ısıtmıştı sanki. Kalktı, çantasını aldı. Makyajını tazelemek için lavaboya gidiyordu muhtemelen. Oysa buna hiç gerek yoktu yani. Beni gördü diye hemen makyajını tazeleyen, saçını başını düzeltme ihtiyacı duyan kadınlardan oldum olası hazzetmem.

"Dönerken bana da bir bira alır mısın lütfen," dedim.

"Niye sen almıyorsun?"

"Barmenlerden nefret ettiğimi biliyorsun. Şimdi oraya gidersem o barmenin çenesini kırmak zorunda kalırım ve bu her türlü fanteziye açık olan güzel gece, daha başlamadan mahvolur."

"Tamam," dedi, yürüdü. "Makyajını tazele güzelim," diye seslendim arkasından. "Biramı getir, Serhat'ı unut ve bana bir erkek gibi davran!" Döndü, üçüncü kez güldü. Nilüfer gibi aklı bir karış havada kızlarla emir kipiyle konuşmak gerekir, başka türlü laftan anlamazlar. Bu berbat dünya hakkında o kadar az şey biliyorlar ki, bazen ürkütüyor bu durum beni. Yanlarındayken kendimi on yaşındaki bir çocuğu baştan çıkarmaya çalışan bir sapık gibi hissediyorum.

Yanıma döndü. Kendisine de şarap almıştı. Muhabbet ilerledikçe milimetrik manevralarla yanına yaklaştım. Beraber olmak isteyen ama çevre şartları nedeniyle olamayan, kamufle edilmiş arzularla dolu iki kişiydik o kuytu bar köşesinde. Biz sevişemediğimiz için aramızdaki muhabbetin kendisi sevişmeye benzemeye başlamıştı. Hep devrik cümleler, kesik kesik, soluk soluğa. Bu tarz gerilimleri uzatmayı severim. Nilüfer gibi genç kızlara karşı iki taktik kullanmak gerekir. Bir, istediğini saklama. İki, zamanı sen belirle.

Gece ilerledikçe bir iki sefer telefonla konuşma numarası çekti. Sağa sola, Allah bilir incir çekirdeğini doldurmayacak sebeplerle bir iki mesaj da çekti. Her fırsatta 'rakiplerin var, yalnız değilim,' mesajını vermeyi ihmal etmedi. En bayat taktiktir. Yalnız kalmış bir kadının bu durumu çaktırmamaya çalışması kadar hüzün verici bir şey olamaz. Oysa ben gerçek bir centilmen gibi telefonumu sessize almıştım, hem de yeni bir telefon olmasına rağmen, hem de ilk defa o gün kullanmaya başlamama rağmen. Çünkü bu tarz numaraları sevmiyordum. Çünkü her şey ortadaydı, "Tamam Nilüfer," demek isterdim ona. "Sen Serhat'a kızgınsın, bir erkek seni iki saat bekletiyorsa bu ilişkiye önem vermiyor demektir. Hiç sevilmemişsin demektir. Ama ne olur böyle yapay hareketlerle kurtulmaya çalışma o hüzünden, bırak şu dişi iklimin sahte gururunu, illaki yaşamak istiyorsan da bir erkek gibi yaşa hüznünü."

Bütün bu gerilimin ve hüzün selinin ortasında, artık küçük çaplı bir taarruz vaktinin geldiğini de hissediyordum. Çevre masaları, bize bakan var mı diye kontrol ettim. Tabii kendim için değil, Nilüfer gibi kızlar böyle şeylere önem verdikleri için. Ama biraz daha beklemeye karar verdim. Çünkü hafiften titreyen ince uzun parmaklarıyla, ince uzun bir sigara yakmıştı. Elmacık kemiklerine içtiği kırmızı şarabın rengi sızmıştı, gözleri buğuluydu, kirpikleri uzundu.

"Sende," dedi. "Her şeyi ben bilirim tavrı var."

"Evet," dedim. "Her şeyi ben bilirim."

"Müthiş bir özgüven... Serhat'ta böyle bir şey yok."

"Olamaz. Çünkü o bir bok bilmez."

Yine güldü.

"Aslında göründüğün kadar salak değilsin," dedi.

"Teşekkür ederim," deyip dudaklarından öptüm. Alt ve üst olmak üzere ikiye ayrılmış bir lav silahı. Tadı da yabancı değildi, büyük ihtimalle Max Factor Colour Perfect R 948, severim o modeli.

"Bunu yapma," dedi. Göğsümden itip gören var mı diye çevreye baktı. Utanç verici bir şey yaşamış gibi, onu öptüğümü kaç kişinin görmüş olabileceğini sayarmış gibi, yalandan çevreye bakmayı sürdürdü. O çevreyi kolaçan ederken biraz daha yaklaşıp iki tutam saç düşmüş ense kıvrımındaki minik benden öptüm.

Beni eliyle itip "Bunu yapma dedim gerizekâlı!" dedi. Aklınca sert oynuyordu. Ama ben neler görmüş geçirmiştim, bu yapay sertlik mi sökecekti bana? Nilüfer'in iradesi kumdan bir kaleydi artık ellerimde. Eğer o ana kadar yıkmadıysam o kaleyi, bu gerçeği idrak edince kendisine saygısının kalmayacağını düşündüğüm içindi. Ama hangi kadın böyle bir inceliği anlayabilir ki? Anlaşılmayan inceliklerim yüzünden kabalaşmaya mecbur kalmaktan nefret etmişimdir her zaman. Yine de alttan aldım, "Serhat iti yüzünden mi?" diye sordum.

"Serhat'a it deyip durma."

"Neden? İşi var diye mi? Çamaşırcılık yapıyor diye mi?"

"Çamaşırcı değil mühendis."

"Çamaşır makinesi fabrikasında çalışan bir adam çamaşırcıdır. Mühendis dediğin köprü yapar, tank yapar, çamaşır makinesi yapmaz."

Bir süre sessizce içtik. Tadım kaçmıştı.

"İstersen gidebilirim," dedim.

Saatine baktı.

"Hayır," dedi. "Beraber çıkalım."

"Nereye gideceğiz?"

"Eve."

"Kimin evine?"

"Tabii ki senin evine."

"Ya saçmalama," dedim. "Otur şurada keyfimizi kaçırma, iki saat sonra sevişsek ne olur! Ne bu sabırsızlık?"

Yine güldü. Bu Nilüfer gibi kızlar adamı güle güle baştan çıkarırlar. İşe yarar tek numaraları budur. Diz üstü bir etek giymişti, elimi bana yakın olan dizine koydum, eteğinin altından bacağında ilerletmeye başladım. Bir iki kısa, gömük kıl dışında pürüzsüzdü; dert etmedim, epilatör çağında ancak bu kadar olur. Tabii nerede o eski çamsakızı ağdalar. Elimi tuttu, bir sülükmüş gibi bacağından ayırdı, masanın üstüne koydu. Belki sorun tuttuğum bacaktadır diyerek öbür bacağına yöneldim. Elinin tersiyle tokat atacakmış gibi yapınca elimi çektim.

"Az önce eve gidelim demiyor muydun? Ben mi yanlış duydum?"

"Saçmalama. Ben o manada demedim."

"Hangi manada dedin Nilüfer! Eve gidip bulmaca çözelim manasında mı? Bu kadar klişe numaralar çekmesen, seni sahiden sevebilirim..."

Çantasını karıştırmaya başladı.

"Ne yapıyorsun?"

"Hesabı ödeyeceğim."

"Bak güzelim," dedim. "Bu gezegende benim masamda oturup da hesap ödeyen kadın yaşamıyor. Ödedim diyen varsa gelsin! Yüzleşelim!"

"Masa senin değil. Ben oturuyordum, sen sonradan geldin."

"Fark etmez. Canın gitmek istiyorsa git. Ama sakın hesabı ödeyip beni küçük düşürmeye kalkma. Ben eski model bir adamım, bu tip şeylere önem veririm."

27

Küçük, sevimli çantasını aldı, koluna takmadan, sinirli adımlarla yürüdü. Endamına baktım. Bu bin türlü güzellikle dolu dünyamızın –özünde berbat bir yer olduğunu unutmadan– benim gibi görmüş geçirmiş adamlar için kimi zaman bir cehennemi andırması canımı sıkıyordu. Ama yine de içim rahattı, nasılsa on dakika sonra dönecekti. Nilüfer gibi kızların, kendilerini kollarında sıkarken çatır çutur sesler getirtecek gerçek bir erkeği kaçırdıklarını anlamaları için temiz havada on dakika düşünmeleri gerekir çünkü.

Biramı alıp bara geçtim.

Barmen, "Ne işin var burada!" diye tersledi.

"Sorun istemiyorum. Biramı içip gideceğim, beni rahat bırak!"

Belki de yanlış yapmıştım. Nilüfer'in çekingenliğini hesaba katmalıydım. Annesini on yaşındayken kaybettiğini duymuştum, belki de bu onarılamaz acı ona ömür boyu sırtında taşıyacağı bir ürkeklik aşılamıştı. Buna uygun davranmalıydım, onu ürkütmemek için sahte tavırlar takınmalıydım. Ama yapamıyordum işte, benim kusurum da buydu, özü sözü bir olmak. Sırtım kapıya dönük olduğundan onu bar aynasından gördüm. Tam on dakika sonra geri dönmüştü. Bir de diyor ki, sende her şeyi ben bilirim tavrı var. Dönüşüne mucizevî bir olaymış gibi yaklaşmaya niyetim yoktu.

"Neden geldin?" diye sordum.

"Zannettiğin gibi değil," dedi.

Taburemde hafifçe döndüm, ince beline sarılıp ensesinden öptüm. O kadar inceydi ki, insan öperken kırılacağından korkuyordu. Ensesinden öpülünce içinden bir yay kopmuş gibi titredi, o refleksle itti beni, az kalsın tabureden düşüyordum. Çocuksu yumruğunu bar tezgâhına vurup "Bunu yapma dedim!" diye bağırdı. Çevreden bize bakanlar oldu.

Uyuz barmen damladı hemen, "Ne oluyor!"

"Sana ne!" dedim. "O benim kız arkadaşım. Şimdi burada oturup bir içki içeceğiz. İstersek öpüşürüz, istersek tartışırız, ön sevişmeye kadar yolu var. Ve burada yaşayacaklarımız seni hiç alakadar etmez. Şimdi çekilebilirsin."

Barmen birşeyler söyleyecekti ama Nilüfer onu susturdu. Barmen gitti.

"O zaman neden geldin?" diye sordum.

"Bunu neden yapıyorsun?"

"Neyi neden yapıyorum?"

"Niye böyle aptalca davranıyorsun?"

"Seni öpmek aptallık mı?"

"Bana derhal, bunu neden yaptığını söyle?"

Soru yağmuru halinde ilerleyen diyaloglardan nefret ettiğim için romantik bir kayıtsızlıkla bar aynasına döndüm. "Şu bar aynasından sana bakıyorum ve kendime soruyorum Nilüfer," dedim. "Bunu neden yapmayayım? Bunu yapmamam için sen bana bir sebep söyle?"

Yanıma oturdu. Muhtemelen annesi öldüğü gün titremeye başlayan ince uzun parmaklarıyla yaktı yine ince sigarasını, dumanını başımın üstünden üflerken "Çünkü," dedi. "Gerizekâlı! Daha on dört yaşındasın. Bense yirmi beş yaşındayım."

"Bütün sorun bu mu?"

"Hayır, ağbinin sevgilisiyim. İnsanlar ağbilerinin sevgilirini ellemeye kalkmazlar."

"Serhat itin teki."

"Hayır, Serhat dünya tatlısı bir adam, itin teki olan sensin."

"Kırıcı olmana gerek yok."

"Serhat'ın telefonunu aldın değil mi? Onun telefonundan bana mesaj çektin, burada buluşalım diye, sonra sen geldin."

"Müthiş bir hayal gücün var güzelim. Bütün erkekler sana âşık zannediyorsun."

Elimdeki boş bira şişesini barmene sallayıp, "Bir tane daha," dedim. Barmen oralı olmadı.

"Aynaya değil bana bak! Bu yaptıklarını Serhat'a söylemeyeceğim ama bana bir söz vereceksin."

"Neymiş o?"

"Bir daha yapmayacaksın böyle bir şey! Asla yapmayacaksın!"

Nilüfer'e döndüm, bir girdabı andıran derin mavi gözlerinin içine bakarken "Bunu her zaman yapacağım güzelim," dedim. "Sen bu gezegende nefes aldıkça ve ben bir erkek oldukça bunu her zaman yapacağım. Yaşadığın her saniye ensende duyacaksın benim soluğumu."

"Neden?"

"Çünkü senin gerçek bir erkeğe ihtiyacın var. Serhat gibi bir çamaşırcıya değil."

Bana boka bakar gibi baktı. "Sen nasıl bir insansın?" dedi. "Kendini ağbinin yerine koy."

"Kendimi nasıl o itin yerine koyabilirim ki?"

"Ağbine it deyip durma. Sana araba kullanmasını öğretti, balık tutmasını öğretti."

"Sen Serhat gibileri bilmezsin güzelim. Adamı iyilik yaparak avuçlarının içine almaya bayılırlar, sonra da çiğ çiğ yerler. Onun arabası var, kayığı var, oltası var. Yaptığı sadece sadaka dağıtmak. Bana balık tutmasını öğretme Nilüfer, bana balık ver!"

Onu tekrar öpmeye yeltendim ama usta bir manevrayla geri çekildi. "Ama futboldan hoşlanmadığı halde her hafta sonu seni maça götürüyor," dedi. İşte buna gülünürdü, kahkaham bütün barda çınladı.

"Futboldan hoşlanmadığı yalan, seni kafalamak için söylemiş. Gol olduğunda o da alkışlıyor. Bir sefer herkesle birlikte tezahürata bile katıldı."

"Maça giden herkes alkış tutar."

"Serhat sana göre değil güzelim, bu gerçeği artık kabul etmelisin. Sana gerçek bir erkek lazım! Şu yeryüzünde çeyrek asır yaşadın ve gerçek bir erkek nedir bilmedin, beni asıl üzen bu."

"Gerçek erkek gerçek erkek deyip sinirimi bozma! Sen ne anlarsın gerçek erkekten gerçek kadından?"

"Yalnız geçirdiğim gecelerde, siz yan odada sevişirken gıcırdayan yatak yaylarını dinlediğim oldu güzelim," dedim boş bira şişesiyle oynarken. "O an orada dünyanın en büyük haksızlığının yapıldığını biliyordum. O an orada gerçek bir erkek gibi davrandım ve dünyayı ayağa kaldırmadım. Sizi rahatsız etmedim, konsantrasyonunuzu bozmadım. Ama sadece cinsellikten bahsetmiyorum burada. Seni düşündüğüm için konuşuyorum. Serhat çok şanslı olabilir ama senin için bir talihsizlik bu ilişki. Gerçi her zaman şanslı olmuştur o it. Babam bir seferinde piyango bileti çektirmişti ikimize, yılbaşı çekilişi, Serhat'a dört bin lira çıkmıştı, bana amorti bile çıkmadı. Ama şanslı olmak erkek olmak değildir güzelim. Keşke babam yaşasaydı... Esasında ben de değil, sana babam gibi bir erkek lazım. Erkek dediğin babam gibi olur. Sen babamın nasıl öldüğünü biliyor musun Nilüfer? Otopark mafyası üstüne kamyon sürdü. Dikkat et, araba değil, kamyon. Kamyonla ezdiler. Üç korumasıyla birlikte öldü. Serhat gibi çamaşırcılık yapmıyordu. Erkek adamdı. Nam salmıştı!"

Aklıma rahmetli babam gelince bir anda gözlerim doldu, neredeyse ağlayacaktım. Elimin dışıyla çaktırmadan gözlerimi sildim. Nilüfer hafiften gülümsedi, yüzünde bir merhamet ifadesi belirdi, elini elimin üstüne koydu.

"Çek elini!" dedim. Çekti. Keşke demeseydim diye düşündüm.

"Tekrar elimi tutar mısın Nilüfer?" diye sordum. "Buna şu an çok ihtiyacım var."

Tuttu. Bir kızın eli ancak bu kadar güzel olabilirdi. Kemikleri belirgin, ince uzun parmaklar. Sen bu ellerle mi sigara içiyorsun güzelim sen bu ellerle mi Serhat itine dokunuyorsun? Serhat iti bu elleri hak ediyor mu? Eli elimdeyken, benim nerede bitip onun nerede başladığını ayırt etmem o kadar zordu ki. Bir kere ayırt etmiş bulununca da o gerçeği kabul etmek daha zor gelmişti. İşte o kahreden gerçeğin zerk ettiği melankoliyle Nilüfer'in elini yavaş yavaş okşamaya, koluna doğru milimetrik manevralarla tırmanmaya başladım. Dirseğine gelmeden kaşlarını çatıp durdurdu beni. Elimi çektim. Dayanamadım, bana yakın göğsünü avuçladım. Tabureden kalktı. Vuracakmış gibi elini kaldırdı, gardımı aldım. Vurmaktan vazgeçti, dirseğimden sıkıca tuttu.

"Yürü gidiyoruz," dedi.

"Nereye?"

"Eve."

"Kimin evine?"

"Tabii ki senin evine gerizekâlı. Annen merak etmiştir, saat kaç oldu."

"Sen önce bir erkekle nasıl konuşulması gerektiğini öğren," diye bağırdım. Kolumu kurtardım. "Defol git!" Afallamıştı. Herkesin bize baktığını görünce, istedikleri gösteriyi onlara seyrettirmek için bir de tokat yapıştırdım suratının ortasına. Çantasıyla kafama vurmaya başladı. Güçlü vuruyordu ama gardımı aldığım için fazla bir şey hissetmiyordum. Bardan çıkarken "Kaltak!" diye bağırdım arkasından. "Defol git hayatımdan!"

Barmen geldi.

"Gördün," dedim. "Problemi çıkaran oydu."

"Hemen yaylan!"

"Bana on dakika daha müsaade et, şu biramı bitirip gideceğim."

"Biran bitti zaten."

"Bana on dakika müsaade et lütfen, hayatımın en kötü gününü yaşıyorum. Lütfen."

"Beş dakika," dedi ve gitti.

Bu süre zarfında kendimi toparladım. Tam kalkmaya hazırlanırken Serhat geldi.

"Oh be nihayet," dedi. "Bütün gece seni aradım kardeşim, neredeydin? Annem meraktan öldü. Neredeydin?"

"Neredeydin diye sormayı bırak. Görüyorsun burada oturuyorum."

"Buradan nefret ettiğini söylemiştin. O yüzden en son buraya baktım."

"Nefret ettiğim bir yerde oturmaya ihtiyacım vardı."

Bana şüpheyle baktı.

"Otur da erkek erkeğe konuşalım," dedim. "Seninle konuşmak istediğim şeyler var."

Aramızda sadece on bir yaş var. Piyango biletini çektiğimizde ben beş yaşındaydım, Serhat on altı. Boyu uzun olduğundan arka taraftaki biletlerden çekebilme şansı da olmuştu tabii. Sonra bu haksız rekabetle çekilmiş piyango biletine çıkan parayla tuttular araba aldılar. O zaman babamın desteğiyle öğrendi sürücülüğü. Ama iyi yürekli babamdan gizli arabayı kaçırmaya başladı ertesi sene. Beni de susmam için tehdit etti. On yedi yaşında, ehliyetsiz bir it olarak, sokaklarda cirit atmaya başladı. Polisi aradım, şikâyet ettim, plakayı bile verdim ama altı yaşında olduğum için ciddiye almadılar.

Barmen, Serhat'ın önüne bir altlık koydu. Serhat rakı söyledi. Artistlik yapıyor, bira içsene.

Barmene, "Bana da aynısından," dedim.

Barmen ters baktı.

"O benim ağbim tamam mı," dedim. "Burada oturacağız ve erkek erkeğe rakı içeceğiz. Ve senin bu muhabbete limon sıkmanı istemiyorum! O rakıyı ver ve bir daha bu tarafa bakma!"

Ben bunları söylerken barmen Serhat'a bakıyordu. Serhat, "Aldırma ona, her şey kontrolüm altında," dedi. "Ruh hastası taklidi yapmadığı zamanlarda iyi bir çocuktur." Bu dediklerini jestlerle ve kızları baştan çıkarmak amacıyla geliştirdiği o sahte tebessümüyle de destekledi. Barmen rakıyı getirdi. Bir yudum aldım, çok acıydı.

"Hey bakar mısın?" diye seslendim arkasından.

"O tarafa bakmıyorum."

"Ukalalık yapmayı bırak ve buraya bak! Şunun yarısını dök, üstüne su ekle, bolca da buz koy!"

Bardağı alıp dediğimi yaptı. Bu dünyada kimse laftan anlamıyor, tatlı dilden anlamıyor, illaki emir kipi kullanacaksın.

Serhat rakısından bir yudum aldı.

"Problem ne?" diye sordu.

"Demet'ten ayrıldım."

"Ne zaman çıktınız da ne zaman ayrıldın? Annem o mesele yüzünden üzgün olduğunu söylüyordu. Demet'e çıkma teklif etmişsin, kabul etmemiş."

Güldüm.

"Çok safsın Serhat ya. Çıkma teklifimi kabul etti tabii ki, bunu uyduranlar bizi çekemeyenler."

"Neden ayrıldınız?"

"Demet'i sen de gördün, Allah için güzel kız..."

"Evet."

"Ona o gözle bakmadın değil mi Serhat?"

"Saçmalama lan."

"Neyse, Demet güzeldi ama biraz soğuktu. Böyle kızlar vardır, bilirsin Serhat işte, ten uyuşmazlığı. Fantezilere açık değil."

"On dört yaşında bir kız hangi fanteziye açık olacakmış?"

"Dünya değişti Serhat. İşler sizin zamanınızda olduğu gibi yürümüyor artık."

"Evet," dedi. Yüzünde bir kaygı vardı.

"Sen de kaygılı görünüyorsun," dedim.

"Ya sorma, telefonumu kaybettim bugün. Seni arayayım derken Nilüfer'i de arayamadım, merak etmiştir."

"Ben de seninle bu konuyu konuşmak istiyordum esasında."

"Telefonumu gördün mü?"

"Hayır. Nilüfer'den bahsediyorum."

"Ne oldu?"

"O kız sana göre değil ağbi." Serhat'a kırk yılda bir ağbi dediğim olur, önemli bir şey söyleyeceğimi anlaması için.

"Neden bana göre değilmiş?"

"Nilüfer zannettiğin gibi bir kız değil. Yirmi beş yaşında ama zekâ yaşı on. Tamam, güzel bir yüzü var ama dişleri çarpık."

"Değil."

"Öpüşürken başın döndüğü için fark etmemiş olabilirsin. Ama köpek dişlerinden biri on milim kadar önde."

"Sen bunları kafana takma kardeşim."

"Ben seni düşünüyorum Serhat. Gerçek bir kadınla birlikte olmanı istiyorum. Tamam, Nilüfer'in bacakları çok güzel ama göğüsleri limon gibi. Bir kadının göğsünü avuçladığın zaman o göğsün bir kısmı elinden taşmalıdır."

"Onu seviyorum."

"Hayır Serhat, sevdiğini zannediyorsun. Ayrıca Nilüfer biraz hoppa bir kız. Allah bilir bu gece itin biriyle kuytu bir bar köşesinde öpüşmüştür, bacaklarını elletmiştir, göğüslerini elletmiştir. Hem de sırf sen bu gece onu aramadığın için, onu aramayıp kaybolan zavallı kardeşini aradığın için yapmıştır bunu. Seni bizden ayırmaya çalışıyor, amacı bu. Bulmuş tabii senin gibi eli yüzü düzgün mühendisi, yarın öbür gün evlenelim diye de tutturur, kafesler seni. Sen çalış, o yesin."

"Nilüfer'in de işi var, benim parama ihtiyacı yok."

"Peki," dedim. "Tamam öyle. Ama bugüne kadar ona sadece güzel sözler söylememe rağmen, benden nefret etmesini nasıl açıklayacaksın? Seni benden ayırmaya çalışıyor, sadece benden de değil, annemden de ayırmaya çalışıyor. Elinden gelse, rahmetli babamdan bile ayırmaya çalışırdı."

"Abartma kardeşim. Nilüfer öyle kızlardan değil. Hem geçen sene annemin doğum gününü unutmuştuk hani, Nilüfer hatırlatmıştı."

"Bizim hakkımızdaki her şeyi kaydetmiş işte, doğum günlerimizi, hangi yemekleri sevdiğimizi... Gözümüze şirin görünmek istiyor. Bunları hep göz boyamak için yapıyor. Amacı kaleyi içten fethetmek. Amacı iyilik yaparak bizi avucunun içine almak, avucuna aldıktan sonra da çiğ çiğ yiyecek hepimizi. Bunun için yapmayacağı şey yok, uyduramayacağı yalan yok. Bizans oyunlarına düşkün. Sen Nilüfer gibi kızları bilmezsin ağbi, onlar bir kalbi bir defa fethetmekle yetinmezler, her gün yeniden kuşatırlar, yeniden saldırırlar, yeniden bütün varlığını teslim alırlar adamın."

"Sen bu konuyu düşünme kardeşim. Ben başımın çaresine bakarım. Seni de kimse çiğ çiğ yiyemez zaten. Adamın midesine oturursun."

İşte Serhat itinin espri anlayışı, sözcük oyunu yapma kapasitesi... Bir de üstüne söylediği şey komikmiş gibi gevrek bir kahkaha atıp ensemi okşadı. Rakıdan sıkı bir yudum aldım. Bir içkinin tadı ancak bu kadar berbat olabilirdi.

"Bana bir söz vermeni istiyorum Serhat," dedim. "Nilüfer, yarın öbür gün benim hakkımda abuk sabuk konuşursa, yalanlar uydurmaya kalkarsa..."

"Niye böyle bir şey yapsın ki?"

"Sus bir dinle ağbi. Benim hakkımda en ufak bir şey bile söylemeye kalkarsa... Ki bunu, senin en zayıf anını kollayıp, seviştikten sonra koyun koyuna çırılçıplak yatarken ince sigarasını yakıp dumanını havaya üfledikten sonra yapacağına eminim. İşte o an, benim hakkımda bir şey söylemek isterse, bana kuru iftiralar atmaya kalkarsa, sözünü kes ve bu konuyu konuşmak istemiyorum de."

"Neden?"

"Sadece böyle söyle. Sadece bu dediğimi yap. Lütfen ağbi."

"Tamam."

"Söz mü?"

"Söz."

"Erkek sözü mü?"

"Erkek sözü."

"Sağ ol ağbi. Bir şey daha soracağım, Nilüfer ağzına alıyor mu?

"Bu konuyu kapatalım."

"Burada erkek erkeğe muhabbet ediyoruz, çekinecek bir şey yok. Ağzına alıyor mu?"

"Kes," dedi. Sert baktı. Üstelemedim.

"Kalk gidelim," dedim.

"Neden?"

"Tadım kaçtı."

"Rakıları bitirelim, gideriz."

"Kalk," dedim. "Çok pis midem bulanıyor, buraya kusmak istemiyorum. Sokağa kusmak istiyorum. Rakın bitmedi diye bencillik yapma! Ben senin yüzünden adımı hatırlamıyorum."

Serhat'ın şaşkınca baktığını görünce, "Adım ne benim?" diye sordum.

"Ne diyorsun kardeşim sen."

"Adım ne benim?" diye bağırdım. Bardaki uğultu bir anda kesildi, herkes bize döndü. "Neden susuyorsun Serhat?" diye sordum bize bakanlara dönerek. "Çünkü benim adım yok, adımı çaldın benim! Serhat'ın kardeşiyim ben. Benim adım Serhat'ın kardeşi. Ne bok yersem yiyeyim Serhat'ın kardeşiyim. Ağzımla kuş tutsam da değiştiremem artık bu gerçeği..."

"Kardeşim lütfen..."

"Bu kadar başarılı olmak zorunda mıydın? Hayatın önüne

çıkardığı bütün fırsatları değerlendirmek zorunda mıydın? Bütün kız arkadaşların mavi gözlü olmak zorunda mıydı?"

"Kardeşim lütfen! Ben seni incitecek bir şey yapmak istemedim."

"Lafa bak. İncitecek bir şey yapmak istememiş. Erkek gibi konuş benimle! Karşında Nilüfer yok. İncitecek bir şey yapmak istemedim denmez."

"Ne denir?"

"Bir yanlışım olduysa kusura bakma birader denir."

"İyi tamam, uzatma birader."

"Hesabı öder misin?"

Cüzdanını çıkardı. Adisyona bakıp "Bu kadar içkiyi tek başına mı içtin?" diye sordu. "Şarapla birayı mı karıştırdın?"

"Karşında kim var sanıyorsun?"

Hesabı ödemek için cüzdanını çıkardığında, "Bana da elli lira borç verir misin?" dedim. Gömlek cebime, çevreye belli etmeden yüz lira koydu.

"Bana sadaka verir gibi davranma," dedim.

"Ne oluyor? Para istedin, verdim."

"Ben senden elli lira borç istedim. Sen cebime çaktırmadan yüz lira koydun. İşte yine iyilik yaparak kendine bağlamaya çalışıyorsun beni."

"Bağırıp durma!"

"Bağırırım. Ben senden merhamet istemedim, bir erkek gibi elli lira borç istedim. Bir erkek senden elli lira borç isterse göstere göstere verirsin o elli lirayı. Ve ben bu adama elli lira borç verdim dersin içinden. Ve o erkek de günü gelince sana borcunu öder. Tamam mı?"

"Tamam."

"Merak etme o zaman. Haftaya annemden alır veririm!"

Serhat paranın üstünü alırken daha fazla dayanamadım, bar tezgâhının üstüne kustum. Barmen, bara oturup sıçmış bir danaymışım gibi dehşetle süzdü beni. Serhat barmenden özür diledi. Yüklüce bir bahşiş bıraktı. Çıkmak üzereyken tekrar özür diledi. Serhat gibi adamlar özür dilemeyi çok severler. Boyunları bükük, el pençe divan yaşarlar.

Barmen, "Önemli değil," dedi dudak arasından. "Yeter ki şu bacaksızı al ve git buradan."

Tepemin tası bu söz üzerine attı. Elimin dışıyla ağzımda kalan kusmukları sildikten sonra, "Sen kime bacaksız diyorsun lan," diye bağırıp barmenin üstüne yürüdüm. "Ağzını burnunu kırarım lan senin it! Senin ananı bacını si..."

Serhat yetişip ağzımı kapattı. Barmen barın arkasından gömlek kollarını sıvayarak çıktı. Serhat'tan kurtulmaya çalıştım ama elini ağzımdan ayırmadı, ağzımı kapatarak güç gösterisi yapıyordu despot! Serhat diğer eliyle, bana vurmak isteyen barmeni göğsünden itti. Barmen yumruk sallamaya başlayınca Serhat beni bıraktı, boş masalardan birinin altına saklandım. Serhat, yediği yumruğa karşılık iki sağlam sağ direk çıkıp barmeni yıktı ama barın fedaileri gelince çok pis dayak yedi bileksiz. Dışarı atıldık, temiz havayı çektik ciğerlerimize.

"Beni tutmasaydın o adamlara gününü gösterecektim," dedim. "Babam olsaydı hepsinin topuğuna sıkardı."

Serhat patlamış dudağını elinin dışıyla sildi. Oturduğumuz kaldırıma kan tükürdü.

"Tamam uzatma!" dedi, biraz kızgın.

"Şu halimize bak!" diye üsteledim. "Babam bu halimizi görseydi kahrından bir kez daha ölürdü. Erkek gibi dövüştü o ve bir erkek gibi öldü."

"Babamın ölümünü düşünmeyi bırak," diye bağırdı.

"Bir erkek olsan böyle bir şey söylemezdin. Otopark mafyası öldürdü onu. Erkek olsaydın babamızın öcünü alırdın. Ama sen karıyla kızla gününü gün ediyorsun. Babamıza layık bir evlat değilsin. Babam çelik gibi adamdı, araba çarpmasıyla öldüremeyeceklerini bildiklerinden, üstüne kamyon sürdüler onun. Makine mühendisi adamsın, istesen tank yapabilirdin. En azından taramalı tüfek yapabilirdin, babamı öldüren adamlardan öcümüzü alabilirdin. Ama sen çamaşır makinesi yapmayı tercih ettin. Neden ağbi neden! Onursuz geçmişinin kirli çamaşırlarını yıkamak için mi? Yerde kalan kanımızı yıkamak için mi?"

Serhat sert bir tokatla susturdu beni. Çünkü o, üç beş bar fedaisi çakalı pataklayamayıp hırsını on dört yaşındaki sabi sübyan kardeşinden alacak kadar alçalmış bir ittir. Omuzlarımdan sıkı sıkı tuttu, "Şimdi beni iyi dinle gerizekâlı," dedi. "Bunu sana son kez söylüyorum! Freni patlamış bir kamyon otobüs durağına girdi, babam da o esnada öldü. Otopark mafyasıyla bir alakası yoktu, otobüse binmek istiyordu sadece."

"Ya korumaları," dedim. "Üç kişi daha öldü."

"O üç kişi de babam gibi durakta bekliyordu, onlar da otobüse binmek için oradaydı! Babamın korumaları değillerdi! Babamın koruması yoktu! Babam nam salmış bir kabadayı falan değildi, kendi halinde bir adamdı."

Önüme baktım. Bana sarılmak istedi. İttim onu.

"Defol git Serhat!"

Bana sıkı sıkı sarıldı, "Lütfen ağlama kardeşim," dedi.

"Sadece bir an gözlerim doldu, abartmana gerek yok," dedim ama ağzımdan burnumdan süzülen salya sümükle karışık gözyaşlarını engelleyemiyordum. En sonunda kendimi toparladım, "Beni asıl üzen senin durumun Serhat," dedim. "Gerçekleri inkâr etmeyi seçtin. Şu yeryüzünde çeyrek asır yaşadın ama babamıza layık bir evlat olamadın hiçbir zaman."

KORHAN AĞBİ'NİN KARDEŞİ

Kooperatifin bahçesinde maç yaparken hep yanımıza gelir, kale direği niyetine koyduğumuz taşların yakınında durur, öylece bizi seyrederdi. Çok güzel bir kızdı, ismi Aycan. Kafasına top gelecek diye korkardım. Berbat oynadığımdan beni kaleye geçirirlerdi. Kaderime razı olup kısa sürede benimsemiştim kaleciliği. Hatta kararlılığımı gören babam bir kaleci eldiveni bile almıştı geçen yıl, giye giye yırtıldı. Aycan maç bitene kadar hep yanımda dururdu. Başka kız olsa laf atardık, 'Erkek Fatma' diye dalga geçer, ruh halini bozup kovalardık. Ama Aycan'a bir şey diyemiyorduk. Çünkü Korhan Ağbi'nin kardeşiydi.

Korhan Ağbi lise ikiye gidiyordu. Durup dururken gelir maçımızı böler, topu alıp sektirmeye başlar, bir türlü düşürmezdi. Tekniği iyi diyorlardı, maç en azından dört beş dakika dururdu. Bazen aklına eserdi, en iyi arkadaşım Erhan'la beni tutar, "Gelin size çarpım tablosunu öğreteyim," diyerek kafalarımızı birbirine vururdu. Ama bizi kollardı da. Bir seferinde Erhan aşağı mahalleden bir çocuğa sataşmış, dayak yemişti. Korhan Ağbi çocuğu buldu, kollarını arkasında bağlayıp tuttu, Erhan'a tokatlattı. Korhan ve Aycan kardeşlerin babaları vergi dairesinde memurdu, anneleri ev hanımı. Komşuyduk, hem de aynı blokta. Gözde Yapı Kooperatifi.

Her neyse... Korhan Ağbi'nin kardeşi olduğu için Aycan'ı sevemiyordum, o sene onun yerine Esra'yı seviyordum. Okulun ilk günü silgi istemiştim Esra'dan. Silgisini ısırıp ikiye bölmüş, yarısını bana vermişti. Ben de ona âşık olmaya karar vermiştim. Sıramı değiştirip onun arkasındaki sıraya geçmiştim. Din dersi dışındaki derslerde çaktırmadan saçıyla oynuyordum. O da bir şey demiyordu. Bir akşam kapılarının önüne gidip onu beklemeye karar verdim. TİGEM lojmanında kalıyorlardı, babası oranın elektrik işlerini yapıyormuş. Esra'yı bir türlü göremedim. Zillerini çalmaya da çekiniyordum. Geç vakit eve döndüm. Annem bana sarılıp ağlamaya başladı. Beni kaçırdıklarını zannetmiş.

Babam beni aramaya çıktığından fabrikaya geç kalmıştı. Benim iyi olduğumu anladıktan sonra apar topar gitti. Ertesi sabah geldi, suratı beş karıştı, onu hiç böyle görmemiştim. Geç kaldığı için mühendisin biri bağırmış çağırmış. Bana, "Nerdeydin lan," deyip bir tokat attı. Annem bütün gece sormuş ama söylememiştim. Babam iyi bir adamdı, Korhan Ağbi gibi aklına esince tokatlamazdı. Durumu anlattım. "Esra'yı delicesine seviyor olabilirim," dedim. "Galiba ona sırılsıklam aşığım."

Babam, "Ne sevgisi lan bu yaşta," dedi, yatmaya gitti. Yarım saat sonra geldi, uyku tutmamış. Beni öptü. Milletin ağız kokusunu çekmek istemiyorsam, kızlara kafa yormayı bırakıp derslerime yoğunlaşmamı öğütledi. Böylece ileride öğretmen olabilirmişim.

Annem, "Okusun mühendis olsun," dedi. "Öğretmenlik neymiş."

"Mühendisinin müdürünün ızdırabını şimdi."

"Çocuğun yanında küfretme!"

"Çocuğun yanında küfrettirme o zaman."

Babam çoğunlukla gece vardiyasında çalışır, gündüzleri uyurdu. Kendimi bildim bileli vaziyet buydu, evin içinde ses çıkarmamaya çalışarak büyümüştüm. Belki de bu yüzden bu kadar sessiz biriydim. Erhan hariç muhabbet edecek arkadaşım da yoktu zaten. Erhan'ın babası demiryollarında çalışırdı, kooperatifin başka bir bloğunda ve okulun başka bir sınıfındaydı. Ama hep bir aradaydık, kooperatif bahçesinde, teneffüslerde falan. Tam bir fırlamaydı. Zaten ilk o fark etti. Kooperatifin arka bahçesindeki lastiklerin üstünde otururken "Aycan'ın memeleri çıkmış," dedi. O gece hep bu sözü düşündüm, rüyamda meme gördüm. Ertesi gün karne alacaktık.

Öğretmen karneleri vermeden önce, on beş tatilde bir hikâye kitabı okumamızı istedi. Orta ikiye gittiğimizden kendimiz seçebilirmişiz artık, zararlı bir şey olmasın yetermiş. Ben çaktırmadan Aycan'a bakıyordum. Önlüğünün önünde belli belirsiz bir kabarıklık vardı. Hoş bir kabarıklık. Bitmeyen Arzular'daki kadar kabarık değildi ama yine de kabarıktı işte. Sıram gelince karnemi aldım, yanında teşekkür belgesi de verdiler. Aycan'ın yanına gittim, takdir almıştı. "Seninki nasıl," diye cıvıldayıp karneme baktı. Tek ders yüzünden takdiri kaçırdığımı belirttim.

Son dersten sonra Erhan geldi, bütün öğretmenlerin anasına avradına sövdü. Duvardaki Milli Eğitim Bakanı'nın portresini yumrukladı. Dört zayıfı vardı. Sınavları iyiymiş, hocalar ona takmış.

Yere tükürüp "Baktın mı?" diye sordu.

"Neye?"

"Neye olacak..."

"Baktım."

"Sana demiştim," dedi ayakkabısıyla tükürüğünü yayarken. Birden durdu, "Ellemek ister miydin?" diye sordu.

"Hayır."

"Bir sefer mıncıklasan ne güzel olurdu. Bitmeyen Arzular'-daki gibi..."

"Şundan bahsedip durma," dedim. "Videocu babama söylerse..."

"Ya videocu, babana niye söylesin ki? Adamın işi bu."

"Ama babamı tanıyor."

"Tanısa ne olacak? Sizin oğlana kaset kiraladım mı diyecek? Ellemek ister miydin onu söyle sen."

Umutsuz bir ifadeyle "Korhan Ağbi?" dedim.

Erhan yumruklarını sıkıp "Korhan Ağbi onun ağbisi olmayacaktı ki," dedi. "Ben onu kesin ellerdim."

Eve gidince anneme karnemi gösterdim. "Aferin," dedi. Biraz daha çalışırsam önümüzdeki dönem takdir alabilirmişim. Annem babamın yattığı odaya gitti, kapıyı tıklattı, "Saat dört oldu," dedi. Babam kalkıp uykulu gözlerle karnemi inceledi, kaleci eldivenlerinin fiyatını sordu. Otuz liraydı, biraz düşünüp "Otuz beş," dedim. Babam banyoda yüzünü yıkarken kapının arkasına asılı pantolonunu getirmemi istedi. Pantolonun arka cebinden ince cüzdanını çıkardı. İçine bakıp "Otuz beş mi dedin?" dedi. "Evet," dedim. Biraz düşünüp kırk lira verdi. Annem kaşlarını çattı, "Nereden alacaksın eldivenleri?" diye sordu.

"Doğan Spor'dan."

"Fiş alma otuza versin."

"Tamam. Öğretmen on beş tatilde kitap okuyun dedi."

"Babana sor."

Mutfağa gittim. Babam tarhana çorbası içiyordu. Durumu anlattım. Babam, kitaplarını toz yapıyor diye sandığa kaldıran anneme bağırdı. Çorbasını bitirdikten sonra arka odaya gittik, sandığı açtık, içinde yirmi otuz kadar kitap vardı. "Hepsini okudun mu?" diye sordum. Gençken okumuş.

"Öğretmen zararlı olmasın dedi."

"Kitabın zararlısı mı olur?"

"Bilmiyorum işte, zararlı olmayacakmış."

"Onun gibi öğretmenin ta amına koyayım!"

Annem mutfaktan avazı çıktığı kadar bağırdı.

"Çocuğun yanında küfretme dedim kaç sefer!"

Erhan karne durumu nedeniyle bir hafta dışarı çıkamadı. O olmayınca beni de takıma almadılar. En sonunda geldi. Sarıldık.

"Baban çok dövdü mü?" diye sordum.

"Boş ver," dedi.

Erhan takımı kurdu. Ben kaledeydim yine, maçtan ziyade yeni eldivenlerimle ilgileniyordum. Aycan geldi, tam taşın yanında durdu. Saçlarını iki yana örmüştü, üstünde beyaz bir palto vardı. "Ne haber," dedi.

"İyilik sağlık," dedim. Bir iki hafif plase geldi. Lüzumsuz plonjonlarla kurtardım.

"Ayakların yerden kesiliyor," dedi. "Çok güzel uçuyorsun."

Kabuk bağlamış dirseklerimi ovarken teşekkür ettim.

"On beş tatilde ne okuyorsun?" diye sordu.

"Orhan Kemal," dedim. "Kornerden sonra konuşalım!"

Muz bir orta geldi, çift yumruk çıktım. Top orta sahaya kadar gitti. Eldivenlerde hasar var mı diye baktım, pırıl pırıldı.

"Hangi kitabı?"

"Unuttum," dedim. "Kavgalı bir şeydi. Sen ne okuyorsun?"

"Sait Faik."

"Hangisi?"

"Havada Bulut."

"Güzel mi?"

"Yarısına geldim."

"Okuduktan sonra bana da ver."

"Altını çizmeyeceksen olur," dedi. Çünkü kitap babasınınmış.

Maçtan sonra Erhan geldi. Herkesi çalımlayıp attığı golden bahsetti. Ama Aycan pek oralı olmadı, "Görmedim," deyip gitti.

Erhan, Aycan'ı arkasından süzüp yere tükürdü. "Yalan," dedi. "Bütün maç buradaydı, bal gibi gördü."

"Belki sen gol atarken başka tarafa bakıyordu," dedim.

"Niye yalan söylesin ki?"

"Kadınlar böyledir."

"Kız on üç yaşında."

"Hepsi bir."

Arka bahçeye gidip lastiklerin üstüne oturduk. Erhan bir sigara yaktı. Çevreyi kontrol ettim, balkondan bakan yoktu, bir fırt da ben çektim.

Erhan, "Ben bu kızı elleyeceğim," dedi.

"Saçmalama."

Bir haftadır bunu düşünüyormuş, bütün planı yapmış. Ben kazan dairesine çağıracakmışım, o da elleyecekmiş. Kazan dairesini bir sefer görmüştüm, kooperatifin genel üye toplantıları orada olurdu. Babam bir seferinde, merak ettiğim için beni de götürmüştü. Çok kötü kavga çıkmış, millet gırtlak gırtlağa gelmişti. Babam beni havaya kaldırıp "Daha bu çocuk dünyada yokken ben taksit ödüyordum taksit," diye bağırmıştı. Bütün üyeler yaşımı anlamak ister gibi bana dönmüştü o an. Bir anda ilgi odağı olmuş, gururla gülümsemiştim. Eve dönünce annem babama kızmıştı, beni kavgaya gürültüye karıştırdığı için.

Erhan sigarayı lastiğin kenarında söndürüp yere attı, "Hatunun bana ilgisi var," dedi.

"Nereden çıkardın?" diye sordum.

"Benim yaptıklarımla ilgilenmiyor görünüyor. Attığım golü görmemiş, peh! Çağıracak mısın?"

"Hayır."

"Onun da hoşuna gidecek."

"Nereden biliyorsun?"

"Kadınlar daha fazla zevk alır."

İçimi belli belirsiz bir hüzün kapladı, "Kadınlar daha fazla zevk alıyorsa neden isteyen taraf hep biziz?" diye sordum. Erhan gülümsedi, elini omzuma koydu, "Ah kardeşim," dedi. "Bu dünyada bir sürü terslik var. Sen bunları kafana takma. Çağıracak mısın, onu söyle."

"Sana ilgisi varsa niye ben çağırıyorum ki?"

"Ben çağırırsam gelmez."

"Neden?"

"Çünkü bana ilgisi var, bunu çaktırmak istemiyor."

"Yapamam," dedim.

Erhan küstü gitti. Cümle âlem siksin ki bir daha konuşmayacakmış. O gidince tamamen yalnız kaldım. Mahalle maçlarını kenardan seyretmeye başladım. Çünkü Gözde Yapı Kooperatifi futbol takımında Erhan, hem santrafor, hem kaptan, hem antrenör, hem de kulüp başkanı gibi bir şeydi. Şu hayattaki bütün torpilim oydu.

Eve gidip kitabı okumaya çalıştım. Beş sayfa sonra sıkıldım. Orhan Kemal iyi bir yazardı muhtemelen, beş sayfadan çıkardığım sonuç, ders kitaplarında okuduğum şeylerden daha güzel olduğuydu. Ama bana okumanın kendisi saçma geliyordu. Birinin anlatmak istediği bir şey varsa, başından geçen ilginç bir hadise örneğin, doğrudan bana gelip anlatmasını beklerdim. Eğer bunu herkese birden anlatmak istiyorsa film falan çekmeliydi. Ayrıca filmlerde insanlar gülerler, ağlarlar, öpüşürler, her şeyi görürsün. Kitaplarda böyle bir şey yok, sadece her okuyana göre değişen birtakım yaklaşık hisler var, görüntüyü sen yapıştırıyorsun üstüne. Olmayan bir filmi kafanda çekmeye çalışıyorsun, hiçbir şey görmediğin halde her şeyi gördüğünü zannediyorsun. Ayrıca bir kitabı herkes aynı anda okuyamaz. Ama filmi pek çok kişi aynı salonda seyreder. Video bile olsa en azından iki üç kişi aynı anda seyredebilir. Ve tabii sevgilinle beraber seyrediyorsan el ele tutuşabilirsin, konuyu kaçırmayacak oranda öpüşebilirsin. Bunun da yarattığı bir enerji var. Film akar, kitap durur. Her neyse... O zamanlar kafam biraz karışıktı.

Birkaç gün arka bahçedeki lastiklerin üstünde yalnız başıma oturdum. O araba lastiklerini biri oraya atmış, sonra da kimse kaldırmamıştı. Önceki yaz Erhan lastikleri satmamızı önermişti, iki tanesini lastikçiye götürmüştük ama adam almamıştı. Dönüşte geri yuvarlamaya üşenmiş, yol kenarına bırakmıştık. O an Erhan yanımda olsaydı, bir sigara yakardı, bir şey söylerdi ya da bir şey yapardı işte, sıkılmazdım. Erhan rahat duramayan bir çocuktu, benim gibi sıkıcı bir tip değildi, safi atraksiyondu. Başka kiminle arkadaşlık yapabilirim acaba diye düşündüm, sınıfımdaki çocukları geçirdim aklımdan, kimseyle yapamazdım. Yalnızlığa mahkûmdum. Benim kaderim buydu zaten, maça alsalar bile değişmiyordu. Onlar hep birlikte oynuyordu, ben kalede yapayalnız bekliyordum. Sonra da gol yiyince kızıyorlardı.

Biri enseme sert bir tokat attı. Döndüm, Korhan Ağbi.

"Ne haber lan bebe," dedi.

"İyi diyelim iyi olsun."

Tokalaşmak ister gibi elini uzattı, bu numarayı biliyordum, ellerimi birbirine kavuşturup iki büklüm oldum. Korhan Ağbi beni düzeltti, ellerimi açtı, sonra birini kavradı, tokalaşmaya başladık. Elim elinin içinde kaybolmuştu, her an biraz daha fazla sıkıyordu. Yüzünde pis bir tebessüm vardı.

"Korhan Ağbi bırak lütfen," dedim. "Elimi kıracaksın. Kalecilik hayatımı bitireceksin."

Gözümden yaş getirene kadar bırakmadı. Elimi hissetmiyordum, hızla ovuşturdum. Yine de taşaklarımı sıkıp İstiklal Marşı'nı söyletmesinden iyiydi. Elimin dışıyla gözlerimdeki yaşları silerken "Korhan Ağbi her seferinde neden böyle yapıyorsun?" diye sordum. "Ben sana ne yaptım?"

"Bir şey yapmana gerek yok," dedi. "Varlığın yeter!"

Tartışmayı uzatmanın manası yoktu. Korhan Ağbi, bütün vurguyu 'ç' harfine yükleyerek "O piç nerede?" diye sordu.

"Erhan mı? Maçtalar."

"Seni niye buradasın? Tabii geleni geçeni alıyorsun, kova seni."

Korhan Ağbi gittikten sonra yalnızlığa daha fazla dayanamadım, gururumu yenip saha kenarına gittim. Belki Erhan, yeni eldivenlerimin hatırına maçın ilerleyen dakikalarında bana forma şansı verir diye düşünüyordum. Erhan beni gördü ama görmezlikten geldi. Yeni kalecinin refleksleri benden iyiydi, her topu çıkarıyordu. Eldivenleri istedi, vermedim. Erhan, kornere çeldiği bir topun ardından yeni kalecinin sırtını sıvazlayıp "Aferin," dedi. "Senin gibi tecrübeli bir file bekçisine ihtiyacımız vardı."

Boğazıma bir yumruk oturdu. Ağlayacak gibi oldum. Aycan geldi yine, tam yanımda durdu. Saçlarını atkuyruğu yapmıştı. İki yana örülmüş halinden çok daha güzeldi böyle.

"Sen neden oynamıyorsun?" diye sordu.

"Hafif bir sakatlık."

"Geçmiş olsun. Bisikletin var mı?"

"Yok."

Ağbisinin dağ bisikleti varmış ama ona vermiyormuş. "Üzülme Aycan," dedim. "Dağlık bir bölgede yaşamıyoruz zaten."

"Hiç komik değil."

"Beğenmiyorsan git başımdan," diye bağırdım.

"Niye bağırıyorsun ki?" diye sordu.

"Özür dilerim. Kafam karışık."

"Orhan Kemal yüzünden mi?"

"Hayır."

Bendeki değişikliğin ne olduğunu anlamaya çalışır gibi

baktı, sonra gitti. Maçtan sonra Erhan geldi. Aramızda huzur bozan bir sessizlik oluştu.

"Sen benim en iyi arkadaşımsın," dedim. "Neden böyle yapıyorsun?"

"Ne olur ki bir sefer ellesem," dedi. "Sen de Esra'nın saçını elliyorsun."

"Aynı şey değil."

"Nasıl aynı şey değil, ellemek ellemektir."

"Aynı şey değil."

"Tamam değil," diye fısıldadı kulağıma. "Ama götünü elleyeceğim demiyorum ki, memelerini elleyeceğim sadece."

"Neden?"

"Canım istiyor. Başka bir şey düşünemiyorum. Çok kötü durumdayım."

"Ama Korhan Ağbi?" dedim.

"Yemişim Korhan Ağbi'yi. Onu dövdüreceğim zaten."

"Kime?"

"Bizim üst katta, lise sona giden Kemal Ağbi var, çok hassas biri. Babası başkomiser."

Omuzlarımdan tuttu.

"Çağıracak mısın?"

"Ben," dedim. "Aycan'a gidip de nasıl kazan dairesine gel derim. Sebep ne?"

"Ne bileyim. Konuşmak istiyorum de."

"Ne konuşmak?"

"Öğretmeniniz on beş tatilde kitap okuyun demedi mi? Onun hakkında konuşuruz de."

Anlaştık. Ertesi gün kaledeydim. Aycan geldi yine, taşın yanında durdu. Erhan bana göz kırptı. Kafam sahiden karışıktı, defansın arkasına atılan bir topta zamanlama hatası yapıp geç çıktım, açıyı kapatamadım, bana yakışmayan basit bir gol yedim. Takım arkadaşlarım Erhan'a söylendi yine, neden bu kovayı kaleye geçirdin diye.

"Maçtan sonra kazan dairesine gidelim mi?"

Aycan saçlarını kulak arkasına atıp "Neden?" diye sordu.

"Konuşurduk."

"Ne konuşacağız?"

"Ne bileyim işte, kitaplardan falan."

"Burada konuşuyoruz ya!"

"Doğru," dedim. "Neyse boş ver."

Şişirme bir top geldi, çıktım aldım. Milimetrik bir degajmanla sol açıktaki Erhan'a gönderdim.

Aycan, "Esra'yla görüşüyor musun?" diye sordu.

"Yok," dedim.

"Niye arkasında oturuyorsun o zaman?"

"Orası boştu."

Rakip kontraya kalktı, az adamla yakalanmıştık, sustuk. Ceza yayı civarından yere paralel sert bir şut geldi, konsantre bozukluğundan sektirdim, fırsatçı bir tip önüne düşen topu tek vuruşta ağlarla buluşturdu. Olmayan ağlarla. Gittim, minibüsün altına kaçan topu aldım, döndüm.

"Saçını ellerken görmüşler."

"Yalan!" diye bağırdım. "Kuru iftira!"

"Sahiden mi?"

"Allah belamı versin."

"Lan kova," diye bağırdılar. "Konuşacağına topa bak. Geleni geçeni aldın yine."

Topu orta yuvarlağa yollarken, "Lan bana işimi öğretmeyin," diye bağırdım. "Lambur lumbur hücuma kalkıyorsunuz, savunma güvenliğini düşünen yok!"

"İstersen gelirim..."

Aycan'a baktım. Hava güzel olduğundan paltosunu giymemişti, kazağının önünde iki hoş kabartı vardı.

"İstemezsen gelme," dedim.

"Sen istiyorsan gelirim," dedi.

"Neden?"

"Çünkü iyi bir çocuksun."

Kapıcıya görünmeden alt kata indik. Geniş kazan dairesine girdik. Erhan kazan dairesinin en kuytu köşesinde bizi bekliyordu. Sigarasını atıp yanımıza yaklaştı.

"Ne haber?" dedi.

Aycan tedirgin olmuştu, "İyi," dedi.

Erhan, "Ne yapıyorsunuz burada?" diye sordu birden.

Aycan'ın sesi titriyordu.

"Hiç."

"Kitaplardan konuşacağız," dedim.

Erhan inanmamış gibi baktı, "Hangi kitaplardan?"

"Öğretmen okuyun demişti ya."

Erhan, kazanın önündeki çıkıntıya oturdu. Biz de yanına oturduk. Aycan ortamızdaydı. Erhan, "Ben de okuyorum," dedi.

Aycan, "Ne okuyorsun?" diye sordu.

"Kemal'li bir şeydi." Beni gösterip "Beraber okuyoruz," diye devam etti. "Ne Kemal'di yazarın adı?"

"Korhan. Yok, Osman."

Erhan, Aycan'a iyice sokulmuştu, elini birden uzattı, kazağın üstünden Aycan'ın sol memesini tuttu. Aycan bana baktı, ne olduğunu anlamaya çalışıyordu. Erhan öbür memeyi de tuttu. Aycan ısrarla bana bakıyordu. Yüzümdeki ifadesizliği görünce dönüp Erhan'a bir tokat attı. Erhan, Aycan'ı omuzlarından sıkıca tuttu, öpmek ister gibi yaklaştı, araya girdim. "Bırak," dedim.

Aycan kalktı, birkaç metre öteye kaçtı. Ağlıyordu. Erhan'a, "Gerizekâlı," dedi. Bana nefret dolu bir bakış fırlatıp yukarı koştu.

Kapıcı dairesinin kapısı açıldı. Biri, "Ne oluyor orada?" diye bağırdı. Erhan "Kaçalım," dedi, koşmaya başladık. Arkadaki küçük kapıdan çıktık. On sokak öteye koştuk. Karnıma ağrı girmişti. Soluklanmak için durdum. Erhan kolumdan tuttu, bir apartmanın bahçe duvarından atladık. Sırtımızı bahçedeki erik ağacına yasladık.

Erhan, "Kesin Korhan Ağbi'ye söyleyecek," dedi. "Kesin. Hep senin yüzünden."

"Benim yüzümden mi?"

"Evet. Sen çağırdın Kazan'a! Hep seninle muhabbet ediyordu zaten. Baştan çıkardın kızı."

Beynimden aşağı kaynar sular döküldü. Kalktım. "Ben ellemedim, sen elledin," diye bağırdım.

Erhan da kalktı, kendinden emin bir edayla "Beraber elledik," dedi. "Korhan Ağbi sorarsa, beraber elledik diyeceğiz."

Erhan'ı boynundan tuttum, sırtını ağaca yapıştırdım, çapaklı gözlerine baktım, "Ben ellemedim," diye bağırdım.

Erhan kolumu ısırdı. Karambole bir yumruk salladı. Dudağım patladı. Bahçeden çıkmak üzereyken döndü, "Beraber elledik," dedi. Sırtımı erik ağacına yaslayıp ağladım. Akşama doğru TİGEM lojmanının önüne gittim. Esra camdan beni gördü, yanıma geldi. Lojman duvarına oturduk. Elimi tuttu, avucumu açıp avucundaki çekirdeğin yarısını döktü.

"Ne okuyorsun?" diye sordu.

Çitlediğim çekirdeği tükürüp "Bir şey okumuyorum," dedim. "Ben berbat biriyim."

"Ben Çehov okuyorum," dedi.

"Fransız mı?"

"Yok, Alman."

"Kitabın adı ne?"

"Bütün Öyküleri 1, 1880–1884."

"İlginç bir isim."

Annesi balkonu yıkıyordu. Seslenince Esra gitti. Lojman duvarında oturmamın bir anlamı kalmamıştı. Ama eve dönmeye de korkuyordum. Sokaklarda gezip havanın kararmasını bekledim. Akşam ayazı bastırmıştı. Ancak hava karardıktan sonra kooperatif sınırlarına girebildim, apartmanın çevresini kolaçan ettim. Merdivenleri koşarak çıktım. Zile arka arkaya bastım. Annem kapıyı açıp "Aklımı çıkaracaksın," diye bağırdı. "Niye öyle basıyorsun zile?"

Cevap vermedim. Annemin yüzüne bakıp bir belirti arıyordum.

"Karnabahar yaptım."

Mutfağa geçtik, annem gazeteden kuponla aldığı mavi tabaklardan birine koyduğu karnabaharı önüme sürdü. Ekmek keserken "Bütün gün top peşinde miydin gene?" diye sordu.

"Hayır anne, kaleciyim ben. Top peşinde olmadım hiçbir zaman, hep topun karşısında oldum. Bu gerçeği kabul et artık!"

"Neyin var senin? Hasta mısın?"

"Bir şeyim yok."

"Niye öyle bakıyorsun o zaman?"

Annemin yüzünde belirti aramayı bıraktım, "Hiç," dedim. Tabağımdakileri bitirdikten sonra kitap okumam lazım bahanesiyle arka odaya geçtim. Sandığın üstüne oturdum. Annem kapıyı açtı, "Salonda oku burası soğuk olur," dedi.

"Yok," dedim. "Orada aklım karışıyor."

Annem, "Sen bilirsin," deyip gitti. Oda soğuktu sahiden ama üşümüyordum. Kulaklarımdan alevler çıkıyordu. Odanın içinde ileri geri dolaşmaya başladım. Annem sıcak sütle bisküvi getirdi.

"Televizyonun sesini kısarım, gel salonda oku."

"Yok."

O an kapı çaldı. Karnımdan göğsüme doğru soğuk bir ürperti yükseldi.

"Kim bu saatte acaba?"

Her şeyin sonu diye düşündüm. Milletin yüzüne nasıl bakacaktım, öğretmenler, arkadaşlar, hepsi sapık olduğumu düşünecekti. Belki hapse girecektim. Hele Korhan Ağbi...

Gelen babamdı. Muhtemelen olayı duymuştu, duyduğu gibi de işten çıkıp gelmişti. Pazar değil tatil değil, önemli bir şey olmasa niye gelsin her gece çalışan adam. Kulak kabarttım. Annem de telaşlanmıştı, "Ne oldu, niye geldin?" diye sordu panikle.

"Grev."

Kendimi o kadar suçlu hissediyordum ki, grevin ne olduğunu soramadım. Bizim yaptığımız kötülükle bir alakası olduğuna emindim ama. Bir hafta sokağa çıkmadım. Yüzümün rengi uçtuğundan, hastayım zannettiler. Annem aspirin, novalgin ve ecza dolabındaki diğer bütün ilaçları denedi üstümde. Babam da bütün gün evdeydi, ara sıra çaktırmadan ona bakıyordum, yüzünde bir belirti arıyordum. Kaygılıydı ama beni görünce hafiften gülümsüyordu yine. Çözemiyordum. Öğrendiyse bile çok iyi saklıyordu bunu, belki de kulağına birşeyler gitmişti ama beni suçlamadan önce emin olmak istiyordu. Babam durduk yerde suçlamaz beni, iyi bir adamdır, kızları kazan dairesine götürüp sapık arkadaşlarının kucağına atmaz, bana benzemez. Grevi sordum. Gözlerini, tamiratıyla uğraştığı mini fırından ayırıp beş saniye kadar dikkatle süzdü beni, yediğim haltları sanki o an anlamış gibi başını sallayıp gülümsedi. "Artık her şeyi konuşmanın zamanı geldi," diyerek karşıma oturdu, yüzü birden ciddileşince sırtımdan soğuk bir ürperti geçti. Keskin el hareketleriyle öfkeli bir şekilde konuşmaya başladı, iyice korktum. Arada bir soluklanıp "Anlıyorsun değil mi koçum?" diye sorduğunda başımı sallıyordum ama hiçbir şey anlamıyordum. Yani öyle elini sallayıp durması, aniden kaşlarını çatıp yumruğunu sıkması dikkatimi dağıtıyordu. Bana mı kızıyor acaba diye düşünmekten neye kızdığını anlayamıyordum tam olarak. Sadece bir süre daha işe gitmeyeceği belliydi.

Öğleden sonra kapı çaldı. Kapı çaldıkça kendimi balkondan aşağı atmak istiyordum. Sokak kapısının yanındaki sigortaları değiştirmekte olan babam, "Baksana şuna," dedi. Yerimde çakılıp kalmıştım. Annem de komşuya gitmişti. "Oğlum salak gibi durma, aç şu kapıyı!" Adım atacak gücüm yoktu. Babam söylenerek sandalyeden indi, kapıyı açtı. Gelen Erhan'dı. Arka odaya geçtik. Erhan, "Ah kardeşim," diye fısıldadı. "Aycan'la konuşmalıyız. Korhan Ağbi'ye söyleyip söylemediğini öğrenmeliyiz." O da geceleri uyuyamıyormuş, çok pişmanmış, keşke ellemeseymiş ama hatun çok fettanmış, onu baştan çıkarmış. Babam çay ve bisküvi getirdi, Erhan anlatmayı kesti, teşekkür ettik. Babam gidince, "Ne zaman konuşacaksın?" diye sordu.

"Niye ben konuşuyorum?"

"Çünkü siz aynı sınıftasınız. Aynı blokta oturuyorsunuz. Sen daha iyi tanıyorsun, sana çok kızmaz."

"Konuşamam," dedim.

"Neden?"

"Utanıyorum."

Erhan, "Mutlaka konuşmalısın," dedi. Konuşmazsam hapse girebilirmişiz. Hapse girersek de bizim gibileri orada şişlerlermiş. Beraber seyrettiğimiz Tatar Ramazan filminden örnekler verdi, haklıydı. Pazartesi okullar açıldığında konuşacağımı söyledim. Sevindi, en iyi arkadaşının ben olduğunu vurgulayarak gitti. Bu olay arkadaşlığımızı bozamayacakmış. Akşama kadar Aycan'la nasıl konuşacağımı düşündüm, kendimce provalar yaptım.

Ve o akşam evde kıyamet koptu. Babam dışarı çıkmak istiyordu. Annem sokak kapısının önüne geçmiş, iki kolunu açmış, onu göndermiyordu. Babam nereye gitmek istiyordu, bana iftira atıldığını düşündüğü için Korhan Ağbi'lerin evini mi basmaya gidecekti acaba? Annem babamı göndermemeye kararlıydı, giderse hayatımızın mahvolacağını, daha kooperatif taksitlerinin bitmediğini söylüyordu. Babam portmantodan ceketini alıp "Çekil önümden," diye bağırdı. Annem babamın elinden ceketi alıp yere attı. Üstünde tepindi.

"Beni çiğnemeden gidemezsin!"

"Çekil kadın!"

"Çekilmem!"

"Çekil şuradan amına koyayım!"

"Çekilmiyorum amına koyayım!"

Babamla beraber büyülenmiş gibi durduk, anneme baktık, ilk defa küfrediyordu. Her şeyin ilki bir parça büyülüdür.

"Sendikanın başka adamı mı yok? Sana mı kaldı? Sen mi kurtaracaksın milleti?"

Babam sırtını kapıya yaslayıp başını ellerinin arasına aldı. Annem beni duvar dibinden çekti, elleri pençe gibiydi, kolum çıkacak sandım, babamın önüne götürdü, "Beni düşünmüyorsan şu çocuğu düşün," dedi. "Bana acımıyorsan şu çocuğa acı." Ben iyice korktum. Acınacak ne yapmıştım böyle? Babam sabaha kadar sigara içti.

Ertesi akşam, dışarıdan sesler geldi. Babam balkona çıktı. Ben de arkasından seğirttim gizlice. Birileri babama sesleniyordu. Babam, "Tamam geliyorum," dedi. Annem gene kapının önüne geçti. Aynı sahne...

"Beni çiğnemeden gidemezsin!"

Babam, "Anlamıyorsun," diye bağırdı. "Çekil şuradan!" Annemi bileğinden tutup savurdu, kapıyı çarpıp çıktı. Annem sabaha kadar ağladı. Sabah şiş gözlerle beni uyandırdı. Kahvaltımı yaptırıp okula gönderdi. İkinci dönemin ilk günüydü. Sınıfta Aycan'ın oturduğu tarafa bakamıyordum bir türlü. Okula gelip gelmediğini bile bilmiyordum. Esra döndü, "Tatilin nasıl geçti?" diye sordu.

"Berbat," dedim.

Yoklama yapıldı. Aycan titrek sesiyle "Buradayım," dediği an, yerin dibine geçtim. Ders başlayınca öğretmen ilk beni kaldırdı, şans işte. Ne okuduğumu sordu.

"Ekmekli bir şeydi."

Bütün sınıf güldü. Aycan da güldü mü acaba diye baktım. Önüne bakıyordu. Öğretmen hasta olup olmadığımı sordu.

"Biraz," dedim. "*Ekmek Kavgası*'ydı galiba."

"Neyse başka bir kitaba geçelim," deyip başka birini kaldırdı. Teneffüste Erhan geldi.

"Konuştun mu?" diye sordu.

"Hayır."

"Neden?"

"Korkuyorum."

"Cesaretini topla," dedi. "Bu işi başka türlü çözemeyiz, uyuyamıyorum, sokağa çıkamıyorum, gol atamıyorum."

Aradan bir ay geçti. Her gece Aycan'la konuşmaya yemin edip her sabah vazgeçtim. Erhan'ın anlattığı olası hapishane hikâyelerimiz yüzünden, kâbuslarımda yüzlerce kez şişlendim. İlk yazılıların hepsinden zayıf aldım, sekiz sefer okuldan kaçtım, sağda solda sarhoş gibi gezdim. Annem veli toplantısından suratı beş karış bir halde döndü. "Bütün dersleri zayıf," dedi. "Sekiz gün de okuldan kaçmış."

Grev gözcüsü olmasından ötürü babamla da araları kötüydü. Evin içinde kimsenin tek laf ettiği yoktu. Babam karşısına oturttu beni, derdimin ne olduğunu sordu. Bir şey diyemedim. Babama yalan söylemeyi sevmem.

"Esra meselesi mi?" diye üsteledi. "Şu elektrikçi Şerafettin'in kızı."

"Yok," dedim.

Babamın aklına gelen ihtimaller temiz aşk öyküleriyle sınırlıydı, ne kadar da iyi yürekli bir insan, neler yaptığımı bilse... "Kafana takma," dedi. Ortaokulu okumak için amcalarının yanına gittiği seneleri anlatmaya başladı. Çok sevdiği bir kız varmış, insan zaten en çok benim yaşlarımdayken sevebilirmiş, neyse efendim, sonra kızın babasının tayini mi ne çıkmış. Babam da onların gittiği gün Taksim Meydanı'nın ortasında oturup ağlamış. Bu hikâye vesilesiyle Taksim Meydanı'nın İstanbul'da olduğunu öğrendim. Şu hayatta bildiğim çok az şey var diye düşündüm.

Ertesi sabah Erhan beni apartmanın önünde bekliyordu. "Sen konuşmayacaksan ben konuşacağım artık," dedi. Bu şüphe içini kemiriyormuş. Nereden buluyorsa böyle sözleri. Bu yüzden dört dersten zayıf almış.

"Senin zaten dört zayıfın vardı," dedim.

"Düzeltecektim," diye bağırdı. Ara tatilde o kadar çalışmış. Yalana bak!

"Tamam," dedim. "Bugün konuşacağım."

"Söz mü?"

"Söz," dedim. "Erkek sözü."

Sınıfa girdiğimde önüme bakıp nefesimi tutarak Aycan'ın oturduğu sıraya gittim. Sıra arkadaşı o gün gelmediğini söyledi. Hiç devamsızlık yapmayan bir kızdı, şansa bak. Aycan, ertesi gün de gelmedi. Ondan sonraki gün de.

Erhan biraz rahatlamıştı, "Söylememiştir," dedi. "Söyleseydi şimdiye kadar söylerdi. Biz de çok ellemedik zaten."

"Ben değil sen elledin," diye bağırdım.

Koridordaki bütün öğrenciler bize baktı. Erhan kolumdan tutup tuvalete soktu beni. Tuvalet kapısının önünde salak salak duran birine, "Koridorda nöbetçi hoca var mı?" diye sordu. Salak, "Yok," dedi.

Erhan bir sigara yaktı. Dumanını yüzüme üfleyip "Sen çağırdın ama," dedi.

Boğazıma bir şey düğümlendi. "Sen çağır dedin," diyebildim.

"Çağırmasaydın."

Ağlamaya başladım.

"Ah kardeşim, lütfen ağlama," diyerek sarıldı bana. "En iyi arkadaşım sensin." Elimin dışıyla gözlerimi sildim. Kendimi tutmaya çalıştıkça daha beter ağlıyordum. Beni böyle ağlatan şey, Erhan gibi birinin önünde ağlamanın utancıy-

59

dı aslında. Bu açmaza bir son vermek için sigaradan derin bir fırt çektim.

"Boş ver kafana takma," dedi. "Yanlışlıkla dokunduk deriz."

O akşam babam nara atarak girdi eve. Yeni öğrendi zanne-derek sandığın arkasına saklandım. Babam yumruğunu sı-kıp "Biz kazandık," diye bağırdı. Grev bitmiş, toplu sözleş-me yapacaklarmış. Annem babama sarıldı, Allah'a şükretti. Babamın arkadaşları geldi, arkadaşlarının karıları, çocukla-rı geldi. Herkes bağıra çağıra konuşuyordu, yine hiçbir şey anlamadım.

Babam elime para tutuşturdu, Rasim Amca'ya rakı alma-ya gönderdi. Bakkalın kapısında 'devren kiralık' yazıyordu. Rasim Amca, "Hayrola," diye sordu. "Baban niye rakı aldı-rıyor?"

"Kazanmışlar galiba," dedim.

Rasim Amca kendi kazanmış gibi sevindi. Grev yüzünden çok veresiye birikmiş. Rakının yanına salatalık turşusu koy-du, ikram.

Tam bakkaldan çıkarken Korhan Ağbi'yi gördüm. Yolu-mu değiştirdim ama çok geçti. Peşimden koştu. Sokağın ka-ranlık köşesinde sıkıştırdı. "Ne kaçıyorsun lan bebe," diye-rek enseme bir tokat attı. Omuzlarımdan tuttu, mengene-ye benzeyen koca elleriyle kemik sesi gelene kadar kanırttı.

"Bırak lütfen Korhan Ağbi," dedim. "Rakı düşecek. Valla ben bir şey yapmadım."

Birbirimize baktık. Yanaklarımdan öptü.

"Biz yarın taşınıyoruz," dedi. "Babamın tayini çıktı."

"Nereye?"

"İstanbul'a. Küçükçekmece Vergi Dairesi."

Ertesi sabah okula giderken apartmanın önünde kır-mızı bir kamyon gördüm. Eşyaları yüklemişlerdi. Aycan kamyonun yanında duruyordu. Güneşte ışıldayan saç-larını atkuyruğu yapmıştı. O an benim için, Gözde Yapı

Kooperatifi'ndeki, okuldaki, şehirdeki ve hatta dünyadaki en güzel kızdı. Beni görünce başını çevirdi. Peşinden gittim, kolunu tuttum.

"Ne var?" dedi.

"Şey..." dedim.

"Ney?"

Özür dileyecektim ama konuyu açmaktan, hatırlatmaktan, en dolaylı şekilde bahsetmekten bile ölesiye utanıyordum.

"İstanbul'a gidiyormuşsunuz," dedim.

"Evet."

"Orada Taksim Meydanı var."

Gülümsedi. İçten bir gülümsemeydi. Sanki hiçbir şey olmamış da yolda tesadüfen karşılaşıp selamlaşmışız, öyle bir gülümseme işte. Yolun açık olsun Aycan demek isterdim ona, umarım İstanbul'daki kaleciler daha iyi kalplidir, kimse kazan dairelerine çağırıp fırlama arkadaşlarına elletmez seni. Bunu diyemedim tabii, "Babam benim yaşımdayken oranın ortasında oturup ağlamış," dedim.

"Neden?"

Annesi gelince sustuk. Kamyondaki eşyaları son kez kontrol ettiler. Korhan Ağbi, Aycan ve annesi ön tarafa bindiler. Babaları önden gitmiş ev tutmaya. Giderken el sallayacaktım ama Aycan'ı tam göremedim. Cam kenarına Korhan Ağbi oturmuştu.

İki ay sonra babamı fabrikadan attılar. Ekonomik kriz varmış. Annem "Ekonomik krizle alakası yok," diye ağlamaya başladı. "Durup dururken göze battın, grev gözcülerini bir gecede attılar. Bütün sendikalıları bir gecede attılar. Siz dövüşürken oturanlara hiçbir şey olmadı, siz kavga ettiniz, onlar kazandı."

Babam her seferinde, "Sus hanım, üstüme gelme," dedi ama annem üç ay kadar söylendi ve ağladı. Sonra yaz tatili geldi. Ben son yazılıları düzeltip orta sona geçtim ama tabii, ne bir takdir ne bir teşekkür. Babam tazminatını alınca, Rasim Amca'nın bakkal dükkânını devren kiraladık. Kütüphaneye üye oldum. Bütün yaz kitap okudum. Yaz sonuna doğru, herhalde okuduğum kitaplardan olsa gerek önüne geçemediğim bir arzu sardı beni, başımdan geçen ilginç hadiseleri anlatma arzusu. Bitmeyen bir arzu. Bu hikâyeyi yazdım. Anca bitti...

Şimdi, sonbahar. Sağda solda rengârenk yapraklar var. Öğleden sonraları okuldan dönünce bakkala ben bakıyorum, babam eve çıkıp bir iki saat uyuyor. Geceleri uyku tutmuyormuş, vardiya günlerinden kalma bir alışkanlık. Bakkalda yalnız olduğum zamanlarda Erhan geliyor, her gün bedava sigara istiyor. Babam eksilen paketleri fark edecek diye ödüm kopuyor. Erhan, "Merak etme, anlamaz," diyor.

DENİZİN ÇAĞRISI

Babam cuma akşamı işten dönmüş, "Çabuk hazırlanın," demişti. Ben Cornetto'nun külah kısmına yeni geçmiştim, annem vantilatörün yanında sigara içiyordu. Geçen yaz olmuştu bu; hararetli günlerdi, gölgede kırk derece. Çok lüzum görmedikçe konuşmuyorduk. Babama dikkatle bakıp devamını getirmesini bekledik.

"Tatile gidiyoruz."

"Nereye?"

"Adaya."

"Yabadabadu!" diye bağırdım.

Şakkadak bir canlılık geldi üstüme. Annem evvelsi hafta, "Herkes tatile gitti, biz denize ayağımızı bile sokamadık," diyerek ağlamıştı. Cümleyi kurarken vurguyu ayak kısmına yüklemişti. O anda ayağıma bakmıştım, neredeyse ben bile ağlayacaktım. Babam ince ruhlu bir adamdır, bu duygusal kavgadan sonra işyerinden izin almış beş gün, hafta sonunu da katarsak bir hafta. O heyecanla hangi ada olduğunu anlayamadım ama ada adadır işte, dört yanı sularla çevrili kara parçası, atladığın yerden yüz, iyidir yani, ayrıyeten Robenson olsun, Cuma olsun hep adalarda yaşayan tiplerdir, bir de Define Adası var. Ve tabii ki de Lost.

Ayrıca adaların denizi de temizdir herhalde. Bizim burada da deniz var ama çok pis. Anahtarlık, sigara paketi, kibrit, kutu kola kutusu, terlik teki, bilumum ıvır zıvır işte, bitpazarı gibi, ne ararsan var. Bir sürü yosun ve denizanası da cabası. Geçen yazdan önceki yaz birkaç sefer gitmiştik, annem denizanalarından korktuğu için girememişti. Ben denizanasından korkmazdım. Denize girdikten sonra orta boy bir denizanasını avucuma almış, fırlatacak uyuz biri var mı acaba çevremde diye aranmaya başlamıştım. Annem koşarak gelmiş ortalığı ayağa kaldırmıştı. Denizanaları adamın üstüne yapışırlarmış, yapışınca da hasta ederlermiş. Öyle dehşet içinde anlatmıştı ki bunları, kendi korkusunu bana da geçirmeyi başarmıştı. Yeni edindiğim denizanası korkumu, bu korku yüzünden harbiden siniri bozulmuş bir ruh hastası gibi, çeşitli jest ve mimiklerle destekleyerek babama açmıştım hemen. Babam, ottan boktan korkan bir tip olacağımdan korktuğunu söylemişti. Herkesin birşeylerden korktuğu üç kişilik bir çekirdek aileyiz işte. Soyadımız Korkmaz. Ben devlet olsam buna müsaade etmem.

Annem valiz hazırlarken ellerimi belime koyup başında dikildim. O korkunç azap veren soruyu işte o zaman sordu bana.

"Kovanı mı alacaksın kamyonu mu?"

"İkisini de."

"İkisini de alamayız. Valizde yer yok."

Başımı ellerimin arasına alıp düşünmeye başladım. Belki de iş yaparken ayakaltında dolaşmasaydım, böyle bir tercihe zorlanmayacaktım. Kamyonu babam geçen hafta almıştı, kovanın ne zaman alındığını hatırlamıyordum. Kendimi bildim bileli ne zaman denize gitsek yanımızda olurdu o kova. Sanki benim değil de annemin ya da babamın çocukluklarından kalmaydı.

"Çabuk söyle!"

"Kovayı koy kovayı."

Denize zaten herkes kovayla gider, yazılı olmayan kanunlardan biridir bu, mayo giymek gibi bir şey. Ama kamyon da yeniydi yani, henüz tadı kaçmamış sakızlar gibiydi. Zaten yeni oyuncaklar her zaman eskilerin pabucunu dama atar. Bu duyguyu çok iyi bilirim. Hatta en iyi bildiğim duygudur diyebilirim. İkinci sınıfa geçtiğimde birinci sınıf olayının bizim sınıfla beraber bittiğini düşünüyordum çünkü. Okulun ilk günü yeni birinci sınıfları görünce dehşete kapılmıştım. Ne safmışım. Üçüncü sınıfta muhtemelen ikiye katlanacaktı bu dehşet. Belki de zamanla katlanmayı bırakıp bölünmeye başlardı. Yeni kuşaklara alışmakla alakalı bir şey olsa gerek bu. Sonuçta kendini özel zannetmeyeceksin, çok üzücü bir şey ama böyle... Bir gün öleceksin ve hayat devam edecek. Dedem ölmüş ama babam yaşamaya devam etmiş örneğin. Bu da yazılı olmayan kanunlardan biri.

Kovayı seçmiştim ama aklım kamyonda kalmıştı. Bir kere kamyonla kum taşımak daha zevkli olabilirdi. Önceki hafta bizim apartmanın karşısına yapılan inşaatı seyretmiştim balkondan. Kamyonlar gelmiş, kum boşaltmışlardı. Sonra adamlar kumları eleklerden geçirmişlerdi kan ter içinde. Demirleri kesmişlerdi. Evde yalnızdım, hiçbir şey yapmadan onları seyretmiştim iki-üç-beş saat, sigara içmek bir şey yapmak sayılırsa tüttürmüştüm bayağı, midem bulanıp da öğürene kadar yarısını içmiştim diyebilirim salondaki misafir sigaralığından arakladığım Uzun Marlboro'nın. Aklımı bir türlü toparlayamıyordum, kafam gidip gidip geliyordu, kovayı değil de kamyonu alsaydım deniz kenarında kum taşıyabilirdim farzımuhal, ilk defa kum taşınmış olurdu o kamyonla, kamyon da ilk defa bir işe yaradığını hissederdi belki de, bunu nasıl düşünememiştim. Tam kapıdan çıkarken fikrimi değiştirdiğimi söylemeye karar verdim.

"Durun! Durun! Durun lan bir durun! Hoop!"

"Ne var ne oluyor!"

"Kamyonu alalım kamyonu kamyon!"

Annem valizi tekrar açamayacağını söyledi, babam geç kalacağımızı belirtti. Ağlamaya başladım. Güzelim kamyon dururken kıytırık kovayı tercih etmenin siniriyle kafamı yumrukladım yedi sekiz dokuz sefer. Babam, "Git getir şu kamyonu," dedi. Annem söylene söylene valizi açtı. Sekiz yaşında olmak berbat bir şey, bir şeyi kabul ettirmek için ille ağlamak mı gerekiyor, yırtınmak mı gerekiyor? İnsan gibi isteyince niye açmıyorsunuz valizi? Ayrıca herkes kararsızlık yaşar. Örneğin benim sünnet düğünümde yaşananlar. O salonda mı olsun bu salonda mı olsun diye kaç sefer fikir değiştirdiler. İçkili mi olsun içkisiz mi? Şunları mı çağıralım bunları mı? Düğün benimdi ama fikrimi soran yoktu. Kamyon, tıkış tıkış dolu valizde kovadan boşalan yeri misliyle doldurunca ağlamayı kestim. Ağladığım için kendimden, beni ağlamak zorunda bıraktıkları için de anne babamdan nefret ettim, huzursuz bir yolculuk oldu, uykum kaçtı. Başımı otobüs camına yaslayıp kilometre tabelalarının yeniden görünmelerini bekledim. Ne zaman uyuduğumu hatırlamıyorum, gözlerimi açtığımda vapurdaydık.

Sabah pansiyona vardık. Kahvaltıdan sonra denize koştuk. Herkesin plaja kovasıyla küreğiyle geldiğini gördüğüm an yaptığım tercihten pişman oldum yine. Benim elimde anlamsız bir kamyon vardı. Evde kocaman gözüken kamyon, plajda küçücük kalmıştı, adama çaresizlik hissi veriyordu. İleri geri ittirince takılıyordu, istediğim yerde doldur boşalt da yapamıyordum, çünkü deniz kenarından aldığım kum yapış yapıştı. Kamyonu denizde yüzdüreyim dedim, batmıyordu ama saçma görünüyordu. Karpuz kabuğu atmışım gibi, denizi kirletmişim gibi bir his.

Müthiş canım sıkılmış, tadım tuzum kaçmış, yaşama sevincim bir anda dibe vurmuştu. Oturdum, başımı ellerimin arasına alıp denize baktım, dalgalar ayak tabanlarıma kadar gelip geri dönüyorlardı. Çekilen dalgaların çakıl taşları üstünde bıraktığı seslere yoğunlaştım. Böylece biraz sakinleşirim, kafamı topladıktan sonra da can yeleğimi şişirip denize girerim, diye düşünüyordum. Bikinili bir kız geldi, önümde durdu, güneşimi kesti. Benim yaşlarımdaydı. Kumraldı ama denize girmekten mi nedir, sararmıştı. Sarışınlara bayılırım. Zaten babam da, kendisi gibi müthiş bir çapkın olduğumu söyler sık sık, babam bu çapkınlık muhabbetini açtıkça annem kaşlarını kaldırıp gülümser, "Ya ne demezsiniz," diye dalga geçer. Çapkın mizaçlı erkekler olduğumuza inandıramadık kendisini bir türlü.

"Kovan yok mu?" diye sordu sarışın.

Çok kötü bir başlangıç. Daha ilk cümlende, hiç tanımadığın bir insana bir yoksunluğu hatırlatmak. Ancak kötü niyetli biri böyle yapar kızım. Cevap vermedim, ilgilenmez göründüm. Çünkü ben ilk bakışta aşka inanırım. İlk bakışta aşk şöyle bir şeydir, insanlar birbirlerine kovan yok mu diye sormazlar bir kere. Öyle bakarlar bir an, merhaba derler, isimlerini söylerler, bu arada taraflardan biri küçük bir espri patlatır, başlar ilişki. Ayrıca kovam var ama evde canım. Kovamın olduğunu ama evde bıraktığımı da açıklamak zorunda değilim.

"Beraber oynayalım mı?"

Kovasını salladı, küreğini gösterdi. Kötü niyetli biri olmadığını kanıtlamaya çalışıyordu. "Tamam," dedim, "Bana uyar. Adın ne?"

"Sedef."

"Soyad?"

"Kaşıkçı."

"Benimki de Osman. Osman Korkmaz. Dayım, hacı ismi

koydunuz çocuğa diyor. Babam kızıyor, çünkü rahmetli babasının, yani dedemin ismini koymuş bana."

"Hacı ismi ne?"

"Hacca gitmeye müsait isme hacı ismi denir?"

"Deden hacı mıydı?"

"Yok. İsmi hacı ismi."

"Dedenin ismi Hacı mıydı?"

"Yok, Osman. Ama ismi hacı. Her neyse... Kapatalım istersen bu konuyu. Ben küçük bir espri olsun diye şey etmiştim..."

Küreği aldım, önce anlamsız bir çukur açtık, dalga gelsin de içi su dolsun diye bekledik. Sonra hafriyat işini bırakıp inşaat işine girdik. Kovaya kum koyduk, ters çevirdik, üstüne pat pat vurduk, çektik. Yanına aynısından bir tane daha yaptık. İkinci katı çıkalım dedik ama taşımadı. Aşağıya biraz daha destek yaptık, çünkü temel önemlidir. İki katlı bir yapı yaptık yani sonuçta. Deniz kenarında yapılan her şeye kumdan kale deniyor lakin bizimki bir vakitler kumdan kale olan bir yapının harabesine benziyordu daha çok. Tarihi görkemini çoktan yitirmiş bir kumdan kale. Surlarında kumdan berduşların şarap içtiği, dibine kumdan köpeklerin işediği, her yeri kumdan çöplerle dolu, yolunu şaşırmış birkaç kumdan turistin gördüklerine göreceklerine pişman oldukları bir kale işte.

"Arabanız var mı?"

Bütün mal varlığımızın listesini vereyim de sorma artık diyecektim ama vazgeçtim. Kaleye vuran dalgaları kesecek minyatür bir hendek kazarken, "Vardı ama geçen sene sattık," dedim.

"Neden?"

"Ekonomik krizden. Benzin yetiştiremiyorlarmış. Babam LPG'li bir araba alalım diyor, annem gaz kokar diye istemiyor. Ben de istemiyorum. Patlar Allah muhafaza!"

Kaledeki restorasyon çalışmalarına devam ettim, aşınan yerleri destekledim. Kamyonu da önüne çektim. Omuzları güneş kremli kafası şapkalı bir ufaklık geldi, başımda dikildi, "İnekler nerede?" diye sordu. Saçma sorusuna cevap vermemi beklemeden saymaya başladı: "Sekiz bir iki üç dört beş altı yedi sıfır dokuz..." Sayarken de bir yandan çevremizde tur atıyordu. Böyle tiplere çevrelerinde tur atabilecekleri bir şey verin, akşama kadar tavaf edip dururlar.

"İnekler nerede? Siyah beyaz inek var. Kuyruğu var. Üç inek var. Yolda inek var."

İnekleri bırakıp tekrar saymaya başladı. Saydıktan sonra da "Nasıl nasıl nasıl saydım nasıl?" diye sormaya başladı. Hiç susmuyordu. Belki de bu dünyada diyalog diye bir şey bulunduğundan haberi yoktu. Sedef, "Sıfırı başa al, yediden sonra da sekiz gelir, şimdi annemlerin yanına git," dedi. Elini vuracakmış gibi kaldırınca ufaklık öteye kaçıp ağlamaya başladı.

Büyük göğüslü bir kadın geldi, ufaklığı yanımıza koydu tekrar, "Kardeşin de oynasın sizle," diyerek Sedef'e çıkıştı. Bir müddet, ufaklığı dövmeyelim diye refakat etti bize, sonra gitti. Sedef'le bu muazzam göğüslü kadın hakkında bir şey konuşmadık, anneleriydi herhalde. Ufaklık kamyonu istedi, gözüm tutmadığı için vermedim. Bir kere eleman o kadar ufaktı ki, ayakta zor duruyordu. Cümle kuramayan, saçma sapan konuşan, kafası karışık, duygusal tiplerden biri işte, yeni jenerasyon. Kamyonu vermeyince yine ağlamaya başladı. En sonunda kaleye bir yumruk attı, ikinci katı yıktı. Eşek sudan gelinceye kadar dövmek istedim onu ama Sedef'e ayıp olmasın diye kolundan itmekle iktifa ettim (yetindim demek). Yine ağlamaya başladı. Annesi geldi, ufaklığı kucağına aldı, göğsüne bastırıp götürdü.

Ufaklık üst katı öyle bir yıkmıştı ki, temeli de zedelediğinden bütün yapıyı yıkıp yeni baştan yapmaya başladık. Annesi geldi yine, Sedef'in omzuna güneş kremi sürdü. Canım çekmiştir diye düşündüğünden bana da sürdü biraz. Göğüslerinin aksine çok yumuşak elleri vardı. Hemen benim annem geldi, çaktırmadan sırtımdaki kremi inceledi.

Annem gidince "Tek çocuk musun?" diye sordu Sedef.

"Evet," dedim. "Şimdi herkes tek çocuk."

"Ben değilim."

"Sen değilsin belki ama şimdiki çocukların çoğu tek çocuk. İleride bir savaş çıksa kesin biz yeniliriz."

"Neden?"

"Çünkü savaşacak fazla çocuk yok. Herkesin çocuğu çok değerli, kimse göndermez savaşa. Zorla alsalar bile tek çocuklar bencil olur, beni koruyun deyip siperden çıkamazlar, korkup kaçarlar, her şeyi bok ederler, kesin biz yeniliriz. Kesin."

Sedef bir şey demeyince üstelemedim. O da diğer kızlar gibi futboldan ve politikadan pek hoşlanmıyordu anlaşılan. Annemle babam denize girerken bana, "Git şemsiyenin altında gölgede otur biraz," dediler. "Yok," dedim. "Böyle iyiyim."

"Kafanı ıslat o zaman."

"Tamam."

"Çantalarımıza da bak, hırsızlar çalmasın."

"Tamam tamam... Çok açılmayın."

Kaleyi yeni baştan yaptıktan sonra denize girmeye karar verdik. Can yeleğimi şişirdim, Sedef de kolluklarını taktı. Denize girerken birden atlarım, prensibim bu. Sedef de birden atladı. Sedef'e artistlik yapayım derken boyumu geçen yerlere gittim. Sonra geri döndüm nefes nefese. Küçük kardeşi geldi, biz denizdeyken yine kalenin başında durdu. Koşarak yanına gittik, taş atacakmış gibi yaptık, ağlayarak kaçtı. Tam rahat etmiştik ki, aklı bir karış havada kahpenin biri kalenin ortasına lönk diye bastı. Bir de sanki biz suçluymuşuz gibi üste çıktı, "Her yere kale yapmışlar ayol!" Lan sen her yere kale yapmışlar diye şikâyet edeceğine önüne baksana önce, tırt! Tekrar yaptık temelden. Garanti olsun diye başında nöbet tutmaya karar verdik, sırayla denize girecektik.

"İlk sen gir Sedef."

"Yok. Sen gir Osmancım, ben beklerim."

"İyi."

Tekrar atladım. Annemler denizden çıkarken "Hani çantalara bakacaktın," dediler. Dakika başı bir sorumluluk yüklüyorlar üstüme, ben olmasam ne yapacaklar çok merak ediyorum. Çocuk mu yaptınız bekçi mi? Bir süre sonra Sedef de nöbet yerini terk edip yanıma yüzdü.

"Neden geldin?" diye sordum.

"Denizin çağrısına dayanamadım," dedi.

"Ya kalemiz yıkılırsa?"

"Yeniden yaparız."

Kumdan kaleyi sekizinci kez yapıyorduk. İki sefer ufaklık yıkmıştı, iki sefer yanlışlıkla üstüne basılmıştı biz yüzerken, bir sefer dalga geçmişti üstünden, bir sefer denize zorla sokmaya çalıştıkları şaşkın bir köpekceğiz sahiplerinden kaçarken üstüne düşmüştü, bir sefer de itin biri top gibi tekmelemişti. Kalenin üst katını çıkarken Sedef'e baktım.

"Neden bikininin üstünü de giydin?" diye sordum.

"Ben kızım."

"Kız olduğunu görüyorum ama göğüslerin çıkmamış, o zaman üstünü giymene gerek yok. Göğüslerin varmış gibi havalara girmene gerek yok."

Sedef ağlayarak gitti. Annesine babasına olanı biteni anlattığını görebiliyordum. Babası beni dövmesin diye bizim şemsiyenin yanına koştum hemen. Sonuçta bizim de ana babamız var, sahipsiz değiliz.

Babam, "Mısır mı istiyorsun kâğıt helva mı?" diye sordu.

"İkisi birden olmaz mı?"

"Olmaz."

"Max istiyorum."

Babam anneme, "Sen bir şey istiyor musun hayatım?" diye sordu. Ona açık büfe sorular bana tercihli. Nefret ediyorum bundan. Babamla yolun karşısındaki büfeye gittik. Kendine bira aldı, anneme soda, bana da Çilekli Max. Çubukta kalan son parçaları sıyırdıktan sonra Sedeflere baktım, şemsiyelerini kapatmış gidiyorlardı, ufaklık yine ağlıyordu, kim bilir hangi sebeple? Babama, "Bir fırt versene şu biradan," dedim. "Moralim bozuldu şimdi çok pis." Annem dehşetle baktı. Babam gülümsedi, birayı uzattı. Tam kafama dikecekken annem yekinip kalktı, aldı şişeyi elimden. O güzel kaşlarını çattı, babamla beni, sanki ikimiz de sekiz yaşındaymışız gibi bir tavırla süzdü. "Manyak mısınız siz?" diye sordu. Cevap vermedik. Zaten çoğu zaman babamla beraber anneme karşı aynı cephede savaşıyormuşuz hissine kapılıyorum.

Gece pansiyonun sahanlığında oturuyordum. Uzaklardan okey şakırtıları ve ansızın yükselen kahkahalar duyuluyor, bu seslere cırcır böceklerinin rutin korosu eşlik ediyordu. Kot pantolonlarını kesip kısa şort yapmış genç kızlar, dışarı çanta almadan çıktıkları için cüzdanları cep telefonları ellerinde geçiyorlardı. Denizden karaya doğru hırka ihtiyacı duyurmayan tatlı sert bir rüzgâr esiyordu. "Tatil bu mu?" diye düşündüm. Çevreme dikkatle baktım, başka atraksiyon yoktu. Bir kedi bile. Gündüz plaj muhabbeti iyi oluyordu ama geceler çok sıkıcıydı. Sonuçta kâğıt helvayla süt mısır da bir yere kadar, yeni tatlar arıyor insan. Ama ne bira veriyorlar ne sigara. Tavla da oynamıyorlar; yavaş oynuyormuşum, elimle sayıyormuşum diye. Okeye de almıyorlar, bütün kuralları bildiğim halde. Cepte desen bayramlar hariç üç lira var, maksimum beş. Aklıma bunlar geldikçe tadım tuzum bir anda kaçıverdi yine. Daha fazla gaza gelmemek için başka şeyler düşünmeye çalışırken Sedef geldi, yanıma oturdu. Aynı pansiyonda kalıyorduk. Akşam gezmesinden dönüyorlarmış.

Durup dururken, "En mutsuz olduğun gün hangisiydi?" diye sordu. Bu kız içimden geçenleri mi okuyordu? Dikkatle baktım yüzüne. Kahverengiyle yeşil arasında gidip gelen, bal rengine yakın gözleri vardı. Pansiyon sahanlığına vuran sokak lambasının ölgün ışığında, lazer gibi parlıyorlardı üstelik.

"Neden öyle bakıyorsun?"

"Hiç," dedim.

"Neden susuyorsun?"

"Düşünüyorum."

"Neyi?"

"Neyi anlatmam gerektiğini."

Ona ikinci sınıfa başladığım günü anlatmalıydım belki de, o pabucu dama atılmışlığı, o biricikliğini yitirme endişesini, o dehşeti anlatmalıydım ama vazgeçtim. "Ben mutsuzluğa karşıyım," dedim.

"Neden?"

"Çok fazla mutsuz insan var."

Sedef bunun üstünde fazla durmadı, en mutsuz olduğu günü anlatmaya başladı. Aslında soruyu kendisine sormuştu galiba. Kibarlık olsun diye önce benim cevabımı öğrenmek istemişti. En mutsuz olduğu gün, teyzesinin düğününün olduğu günmüş. Damatla gelin gidince, yalnız kalınca.

"Nasıl yalnız?" dedim.

"Gelinlikle yalnız kalınca."

"Haa... Şu küçük gelin muhabbeti mi yoksa? Seni küçük gelin mi yapmışlardı? Ama tahmin etmeliydin."

"Evet," dedi. "Tahmin etmeliydim. İnsanlar bir sürü yalan söylüyor. Evlenen sen olmadığın halde gelinmiş gibi davranıyorlar büyük bir ciddiyetle, sonra düğün bitince gerçeği anlıyorsun. Düğün günü terk edilmiş bir gelin gibi hissediyorsun kendini. Hatta ondan da beter bir şey bu. Başkasının düğününde terk edilmiş bir gelin. Düğün bile senin değil."

"Bu laflar senin mi?"

"Nasıl?"

"Annem gibi konuşuyorsun."

"Anneni de mi küçük gelin yapmışlar?"

"Yok. Annem 39 yaşında..."

Sorar gibi baktı. Üstelemedim. Söylemekten vazgeçtiğim şeyler söylediklerimden daha fazla. Çünkü insanları üzmek istemiyorum.

"Teyzem evleneli altı ay oldu. Hâlâ düğünden sonra nasıl ağladığımı anlatıp gülüyorlar. İnşallah çocukları olmaz. Her akşam Sübhâneke okuyorum."

"Neden?"

"Çocukları olmasın diye. Ayet-el Kürsi'yi de ezberleyeceğim, o daha etkiliymiş."

"Çok düşünme bu konuyu," dedim.

"Niye?"

"Stres insanı öldürür. Herkes o yüzden tatile çıkıyor."

Küçük kardeşi geldi, "Sonradan görme ne demek?" diye sordu.

"Birini görürsün, ertesi gün bir daha görürsen o olaya sonradan görme denir," dedim. "Şimdi annenlerin yanına git!"

Sedef, "Hayır," dedi. "Bir olay olur, herkes görür, sen geç gelip sonunu görürsen, buna sonradan görme denir. Şimdi annemlerin yanına git!"

Ufaklık ağlamadan gitti, o da alışmıştı artık horlanmaya. Belki de ufaklığa bu kadar zalim davranmasak bizden büyükler de bize zalim davranmazlar, diye düşündüm. Bir yerden başlamak lazımdı işte merhamet etmeye. Ama merhamet etmek için de bir sürü zırvalığa katlanabilme gücü lazım. Sedefler ertesi sabah gidiyormuş. "Burada bekleyin," dedim, gittim kamyonu getirdim, ufaklığa hediye ettim. İlk tepkisi tamponu ısırmak oldu ama yine de sevinmişti işte.

Ertesi sabah annem deniz çantasını hazırlarken "Kamyon nerede kamyon?" diye sordu. Durumu anlatınca dırdır etmeye başladı. Malıma sahip çıkamıyormuşum. Kuzenlerden örnekler verdi. Bisikletlerini kendileri tamir ediyor, her gün yıkıyor, kimseye kullandırtmıyorlarmış. Onlar gibi bencil mi olmamı istiyorsun yani; diyecektim, vazgeçtim. Zaten plaja gittiğimizde de kamyonu verdiğime pişman olmuştum çoktan. Kova yok, kamyon yok, hiçbir bok yok, öyle oturdum. Babam geldi, niye öyle üzgün oturduğumu sordu, ekipman yoksunluğumu anlattım. Elimden tuttu, en yakın eczaneye gittik. Tatil yerlerindeki eczaneleri çok seviyorum. İlaç hariç her şeyi satıyorlar.

Babam, "Kova mı alayım deniz yatağı mı?" diye sordu.

Yine aynı çıkmaz. Tek çocuk olmanın hiçbir avantajını yaşatmadılar bana. Üç kardeş de olabilirdik. Biri kova isterdi, biri kamyon, biri deniz yatağı. O zaman ne yapacaktın bakalım.

"Deniz gözlüğü al," dedim. Hemen kutusundan çıkarıp taktım, plaja dönerken babam, "Yolda çıkar, denizde takarsın," dedi.

"Yok, böyle de zevkli," dedim. "Karada takınca pilot gibi hissediyor insan kendini. Herkes bana bakıyor."

Akşam pansiyona dönene kadar çıkarmadım gözlüğü. Ara sıra alnıma kaldırdım o kadar. En sonunda annem duşa sokarken koluma çimdik atıp çıkardı. Gözlerimin kenarında yer etmişti.

Tatilden çok sonra, sonbahara doğru acayip bir rüya gördüm. Bizim balkon demirlerine dış taraftan tutunmuşum, kendimi yukarı çekemiyorum, düştü düşecek bir vaziyetteyim. Tam kollarımdaki güç tükenip de elim demirlerden kaydığı an uyandım, çok şükür dedim. Sonra bir daha gördüm bu rüyayı. Bu sefer bizim balkonda değildim, karşımızdaki yeni inşaatın balkonlarından birindeydim. İki rüyada da keşke deniz gözlüğümü takmış olsaydım diye düşünüp durmuştum. Sanki gözlük beni kurtaracakmış gibi. İnsan rüyasında olur olmadık şeylerden medet umuyor.

Kış geldiğinde Sedef'i bütünüyle unutmuştum. Daha doğrusu şöyle; hatırlayıp hatırlayıp unutmuştum. Sanki aramızda hiçbir şey yaşanmamış gibi. Alelade bir yaz aşkı gibi. Sanki Sedef ancak ismi geçtiği zaman hatırlanan hayalet arkadaşlardan biriymiş gibi. Sanki deniz kenarında bütün gün kumdan kale yapmamışız gibi, sanki pansiyonun sahanlığında yan yana oturup konuşmamışız, yıldızlara bakıp nedir bu kâinatın esbabı mucibesi diye düşünmemişiz gibi. Unutmanın acısı, ayrılığın acısından farklı. Ayrılık hüzne yakın, unutmak kasvete. Yani birini er geç unutmaya mahkûm olduğunu bilmenin kasvetinden bahsediyorum. Birini yavaş yavaş unuttuğunun bilincine vardığın anların sıkıntısından bahsediyorum. O kişinin parça parça silinip alakasız hatıraların arasına karışmasından bahsediyorum. Belki de neden bahsettiğimi bilmiyorum, sadece üzülüyorum, vasıfsız keder.

Şubat ayında çok pis kar yağdı, okullar tatil oldu. Anneme gittim, deniz kovasını istedim.

"Ne yapacaksın deniz kovasını?"

Ne yapacaksam yapacağım, kova benim değil mi? Ver şu kovayı! Gözlerim doldu. Bir şey diyemedim.

"Ne yapacaksın çocuğum deniz kovasını?"

"İçine kar dolduracağım."

Annem, "Çıkaramam şimdi," dedi. Sinirle yatak odasına yürüdüm. Dolapları karıştırmaya başladım deniz malzemelerini bulmak için. En sonunda annem geldi, ortalığı daha fazla dağıtmayayım diye verdi kovayı söylenerek. Deniz gözlüğünü de istedim. Onu da verdi hazır çantayı açmışken. Bahçede gözlüğümü taktım. Kovayı karla doldurdum. Kardan bir kale yaptım. Kenarlarındaki çamurları temizledim, bembeyaz oldu. İşte en son o zaman aklıma geldi Sedef. Onun en mutsuz olduğu günü düşündüm. İnsanların acıma-

sızlığını... Bembeyaz gelinlikler içinde bütün hayalleri yıkıl-
mış bir kızı... O lazer bakışlı kızı düşündüm. İlk kale nöbe-
tini üstüne alacak kadar iyi yürekli olan o kızın denizin çağ-
rısına dayanamayıp yanıma yüzüşünü düşündüm. Ona tele-
fon açıp yarım saat kadar konuşmak istedim. Sonradan gör-
düğüm acayip rüyaları anlatmak istedim. Kimseye anlata-
madığım şeyleri sanki yüz sefer anlatmışım gibi rahat, anlat-
mak anlatmak istedim.

CAHİDE

Cahide'ye yıllara meydan okumak için âşık olmuştum. O yirmi bir yaşındaydı, ben on bir. Benle beraber altı yedi arkadaş daha âşık olmuştu hemen kendisine. Sadece birbirimizle değil, tarihle de mücadele ediyorduk. Sinir oluyordum bizim elemanlara. Tamam, iki arkadaşın aynı kızı sevmesini anlarım, hüzünlü bir atmosfer olur o zaman ama kardeşim altı yedi kişi birden de olmaz ki ya! On-on bir yaşlarındaysan, aynı sokakta oturup aynı okula gidiyorsan özel hayat diye bir şey arama zaten. Birini sevmeye başladın mı hep beraber seviyorsun, nefret ettin mi hep beraber. Biri bir ağacın dibine işemeye başlasa herkes çıkarıyor malı meydana. Ne kadar iğrenç olursan o kadar itibar kazanıyorsun.

Cahideler bizim kapı komşumuzdu, mutfak balkonlarımız bitişikti. Arkadaşlar bu durumu kıskanıyordu. Her zaman şanslı bir tip olmuşumdur zaten. Anne ev hanımı, baba esnaf, ne fakiriz ne zengin. Dayak da atmıyorlar fazla. Annem ayakaltında dolaşmayayım diye sokağa salıyor her gün. Sabah çıkıyorum, akşam ezanı okunurken geri dönüyorum. Öğlen acıkınca bizim bakkala gidiyorum, ekmek arası salam yiyorum, kutu kola içiyorum, üstüne de bir paket Panço götürüyorum. İştahım ve keyfim yerinde Allah'a şükür, sigara bile tüttürüyorum bazen kömürlükte. Şu hayattaki tek derdim Cahide ama olur o kadar.

Bir gece yağmur sesiyle uyanmıştım. Balkona çıktım. Cahide balkonda annesinden gizli sigara içiyordu.

"N'aber çocuk?" diye sordu. Benimle ilk defa konuşuyordu.

"İyilik Cahide," dedim heyecanımı bastırarak. "Senden?"

"Eh işte."

"Yağmur sesiyle mi uyandın?"

"Yok, uykum kaçtı."

"Neden acaba?"

Cevap vermedi. İçeri girdim, sonuçta bir genç kızı gecenin bir vakti balkonda rahatsız etmek yakışık almazdı. Ertesi gün, kalaslı arsada mahalle maçı yapıyorduk. Maç birden durdu, herkes koşmaya başladı. Bizim karşı sokakta pazar kurulurdu her pazartesi. Meğer Cahide ve annesi pazardan dönüyormuş. Ben de koştum. Ellerindeki torbaları almaya çalıştık yardım amacıyla. Cahide'nin annesi domatesi vermek istemedi, çektim aldım torbayı, bir iki domates ezildi bu arada, olur o kadar. Sonuçta Cahide'nin annesine torba taşıtamam, ayıptır. Kapılarına kadar taşıdık torbaları, ben öne geçtim, bizim elemanlardan alıp alıp içeri vermeye başladım. Bütün torbalar içeri girdikten sonra Cahide'nin annesi bozuk para dağıtmaya başladı amatör hamallara, hepsi aldı, ben almadım. Çünkü menfaatperest biri değilim, o torbaları mükâfat beklediğim için taşımadım.

Cahide'nin annesi, "Bir sefer daha yapacağız," deyince, "Hayırdır Tıynet Teyze?" diye sordum. Cahide bir kahkaha atacakken güç tuttu kendini, eliyle ağzını kapatıp gülümsemekle yetindi. Onu böyle kahkahanın eşiğinden döndüren şeyin ne olduğunu anlamaya çalışıyordum. Annesi giderdi merakımı.

"Tıynet değil Kıymet!"

"Hayırdır Kıymet Teyze?"

Torbaları ağır olduğundan karpuz alamamışlar.

"Ben alır gelirim hemen," dedim. "Bu sıcakta bir daha çıkmayın."

Annesi tepeden tırnağa süzdü beni, karpuz alıp gelebilecek kifayette bir tip miyim acaba diye düşündü bir müddet. Sonra takribi bir karpuz parası çıkardı cüzdanından.

"Kestir al, kabak olmasın."

"Tamam."

Cahide, "Ben de seninle geleyim," dedi. "Seçemezsin şimdi."

Annesi Cahide'yi süzdü.

"Kestirecek ya."

"Olsun."

"Çok oyalanma."

Cahide'yle yan yana yürürken yüreğim genişledi. Adımlarımı onunkilere uydurdum. Çevreye gururla baktım. Pazarcının biri Cahide'ye, "Patlıcan lazım mı canım patlıcan?" diye seslendi, hafif alaycı bir tını vardı sesinde. Cahide muhatap olmadı, tanımadığı erkeklerle konuşmayan her namuslu genç kız gibi duymazlıktan geldi, bakmadan geçti gitti. Ben öfkeyle durdum, pazarcıya ters ters baktım. Yani biz karpuz almaya çıkmışız, patlıcan ne alaka! Ayrıca sana mı düştü Cahidelerin patlıcan ihtiyacı?

"Ne bakıyon lan!" diye sordu.

Bir şey diyemedim. İri yarı bir tipti. Pişman oldum durduğuma, kilitlendim kaldım, böyle tipleri kızdırmaya gelmez.

"Sivri biberler ne kadar ağbi?" diye sordum, hiçbir şey söylememek garip kaçacağından.

"İki buçuk."

"Pahalıymış. Hayat pahalılığından herhalde."

"Siktir lan."

"Peki. Hayırlı işler."

Karpuzu aldık, geri dönerken Cahide pazarın bittiği yol ağzında durdu.

"Sen burada biraz bekle hemen geliyorum," dedi.

"Nereye?"

Gitti. Karpuzla yetişemedim arkasından. İki sokak ötede gördüm, internet kafenin önünde, mobiletine yaslanmış duran yakışıklı bir tiple muhabbet ediyordu. Köşede bekledim. Yanıma geldi, beni görünce hafif bozuldu.

"O kimdi?"

"Hiç," dedi. "Bir arkadaş."

"Nasıl bir arkadaş?"

"Arkadaş işte."

Ne diyeceğini şaşırdığından gülümsedi, öyle tatlı gülümsedi ki sinirim ve merakım geçti, eridim hemen. Hatta o an, onunla bir sırrı paylaşmanın sevincini yaşamadım dersem de yalan olur şimdi.

"İyi. Geç kalmayalım o zaman," dedim. "Annen merak etmesin. Sonra ben sorumlu olurum."

Bu olayın üstünden bir hafta geçmişti. Kalasların sahibi müteahhit anamıza avradımıza sövüp kovaladığı için kalaslı arsada maç yapamıyorduk. Kaldırım kenarlarında oturuyorduk. Cahide'yi ilk ben gördüm, yolun ucundan geliyordu annesiyle, ellerinde torbalar vardı yine. Yola fırladım, onlara doğru koşmaya başladım. Fren sesiyle irkildim. Bir arabanın camına çarptım, tepesine uçtum, havadayken Cahide'ye baktım, kazanın heyecanından olsa gerek daha da güzelleşmişti. Bir çığlık attı, elindeki torbaları fırlattı, ben de bagaj tarafından düştüm. Yine şanslıydım, benim yerimde başkası olsa çoktan ölmüştü. Babam fren sesini duyunca koştu geldi, bana çarpan adamı arabadan indirdi, yere yatırdı, kafasını tekmelemeye başladı. Adamı zor aldılar elinden. Babam yanıma gelip "İyi misin?" diye sordu. Kolumu inceledi, ilk anda fark etmemiştim ama sağ kolum yamulmuş, dilenci koluna dönmüştü. Kolumu o halde görünce babamın gözleri doldu, ben Cahide olay yerinde olduğu için ağlayamıyordum tabii. Babam tekrar adamın üstüne yürüdü. Yine ayırdılar.

Hastaneye gittik, kolum iki yerinden kırılmış. Röntgen sırasıydı, alçıydı derken saatler geçti. Bu arada polisler gelip kazanın nasıl olduğunu sordular, Cahide yüzünden olduğunu söylemedim, sonuçta böyle şeylerle gururlanmayı sevmem. Bu aşkın bedeli de buymuş derim kendime, gerekirse bacağı da kırarız, kimseye ses etmeyiz ama.

"Öyle duruyordum geldi çarptı adam," diye verdim ifademi gözyaşları içinde. "Benim bir suçum yok. Ehliyeti kasaptan almış denyo."

Annem bir hafta sokağa salmadı. Kolu kırınca kıymete bindik. Bütün akrabalar geldi, hediyeler hediyeler... Gittim, bakkalı yağmaladım, kırk tane Panço yedim, bir o kadar da kutu kola içtim, babam bir şey diyemedi. Alçıyı herkese imzalattım ama en güzel yerini Cahide'ye ayırdım. Tam gidip imzalatmayı düşünürken Cahide'nin orospu olduğu haberi geldi. İnanmadım ilk başta.

"Cahide o tıynette bir insan değil," dedim bizim çocuklara.

"Babası dövmüş, orospu olmasa babası niye dövsün?" dediler.

"Başka bir sebeple olmasın?"

"Mobiletin arkasında görmüşler. Orospu olmasa elalemin mobiletine niye binsin?"

Bütün kanıtlar ortadaydı, başımı öne eğdim. Biri, "Tıynet ne lan?" diye sordu, cevap vermedim.

"Annesi olmasın!" dediler.

"Yok lan o Kıymet."

Kararlı suskunluğum nedeniyle ufaklıklardan birini eve gönderip Büyük Larousse'tan baktırmaya karar verdiler. Tabii bu arada Cahide'nin orospu olduğu kesinleştiğinden bizim bütün elemanları bir sevinç kaplamıştı.

"Bize de verir mi acaba?"

"Mecbur verecek. Parasıyla değil mi?"

"Evet! Peşini bırakmayız!"

"Her hafta gideriz."

"Gideriz tabii, gideriz yaparız, neyimiz eksik."

"Demek sizin aşkınız sadece fiziksel plandaymış," dedim. "Şeyinizin keyfinden başka bir şey düşündüğünüz yok."

Ağır konuşunca hepsi sustu. Bir tek, zemin katta oturan yedi yaşındaki eleman susmadı, taşaklarını tutmuş, otomatiğe bağlamıştı.

"Her hafta gideceğim. Her gün gideceğim. Sabah akşam gideceğim."

Çenesine bir yumruk oturttum. Kıç üstü düştü, ağlamaya başladı. Elemanın ağbisi geldi, sille tokat girişti bana, tek kolla müdafaa yapamadım, çok pis dayak yedim. Dövdüğü yetmiyormuş gibi bir de kıskıvrak tuttu beni, yumruk attığım kardeşine tokatlattı, yüzüme tükürttü.

"İnşallah evinizi bok basar yine," diye bağırdım arkalarından.

Gece balkonda bekledim. Cahide'yi sorguya çekecektim. Niye böyle bir şey yaptın diyecektim. Orospu olmak zorunda mıydın? Ben senin için ölümlerden dönmüşüm, polis sorgularından geçmişim, cemiyette horlanmışım, dövülmüşüm sövülmüşüm, yüzüme tükürmüşler. Ne önemi var gerçi, ben bu aşk için her türlü çilenin üstesinden gelmesini bilirim. Yeter ki sen orospu olma. Olduysan da oldun, ne yapalım, seni kurtarmaya hazırım. Kendimi senin için feda etmeye hazırım.

Cahide'yi bekledim, bir türlü gelmedi, uykuya dalmışım. Gece, sesiyle uyandım.

"Hiş, çocuk. Uyuyor musun?"

Gözlerimi açtım.

"Yok, öyle içim geçmiş."

"Kolun nasıl?"

"Sağlık durumum ciddiyetini koruyor Cahide. Kemik kaynamayabilir."

"Üzülme kaynar."

"Kaynar diyorsan kaynar. Ben sana şey diyecektim."

"Ney diyecektin?"

"Şey..."

"Ney?"

"Hiç."

Biraz düşündüm.

"Seni kurtarmak istiyorum bu hayattan," demek üzereyken mutfaklarının ışığı yandı. Cahide sigarasını telaşla saksı toprağına bastırıp bahçeye fiskeledi. Bana bakmadan içeri girdi. Annesi balkona çıktı, yüzüme ters ters baktı, kapıyı kapattı.

Yaz bitmeden Cahide'nin evleneceği haberi geldi. Daha fazla adı çıkmadan apar topar evlendirmek istiyorlardı herhalde durumdan habersiz biriyle. Uzaktan akrabaları mı neymiş, Samsun'lu. Samsun'a gelin gidecekti. Bir sabah davul zurna sesiyle uyandım. Cahide'yi almaya gelmişler. Dikizlerine havlu asılı bir sürü araba. Herkes balkonlara doluşup seyretmeye başladı. Hatta Cahide gelinliğiyle apartmandan çıkarken duygulanıp ağlayanlar bile oldu. Düne kadar arkasından dedikodu yapan küçük insanların ikiyüzlü ruh halleri işte. Bizim çocuklar gelin arabasının önünü kestiler. Damat Bey camdan bir zarf attı, zarf rüzgârda havalandı, benim önüme düştü tabii ki. Zarfı aldım, içine baktım göz ucuyla, yirmi lira, mali dengem açısından muazzam bir paraydı. Küçük bir kararsızlığın ardından cebe attım. Zarfı da buruşturdum, fırlattım plakasında 'mutluyuz' yazan Megane'ın ardından. Cahide bu tavrımı gördü mü bilmiyorum.

ÜST KATTAKİ TERÖRİST

Ağbim yirmi yaşında bu vatan için şehit oldu. Siz büyük şehirlerin ışıklı bulvarlarında elinizi kolunuzu sallayarak rahatça yürüyebilin diye o gitti Çukurca'da mayına bastı. Ben yedi yaşındaydım o zaman. Cenaze günü çok güzel bir komando üniforması çektiler üstüme, mavi bereli. Ağlarsam teröristlerin sevineceğini söylediler, tuttum kendimi, hiç ağlamadım. Ağbimi taşıyan cemse önümüzden geçerken dimdik durdum, asker selamını çaktım ay yıldızlı tabuta. Herkes bana baktı o an, sanki şehit olan benmişim gibi sarılıp ağlamaya kalkanlar bile oldu. Çok pis sinirim bozuldu bu duruma. "Ağlamayın," diye bağırdım. Öyle bağırınca bütün kameralar bana döndü, akşam bütün ana haber bültenlerinde ilk haber olarak ben vardım. Ertesi günkü gazeteler: "Şehidin Kardeşinden Asker Selamı" başlığıyla çıktılar. "Teröre asıl darbeyi 'Ağlamayın!' diye bağıran bu çocuk vurdu!"

Bir anda meşhur olmuştum. Ama şımarmadım, genç yaşıma rağmen kaldırabildim bu şöhreti. Ağbimi çok sevdiğim halde, acımı içime gömdüm yıllarca, belli etmedim kimseye. Acaba beni unuttular mı diye ana haber bültenlerine telefon açtım bir iki sefer, iki-üç-beş sene geçmesine rağmen hâlâ ağlamadığımı söyledim. Haber merkezinde çalışan adamın biri, "Aferin evladım, böyle devam et," dedi. Uğur Dündar'ı, Ali Kırca'yı istedim, bağlamadılar. Hiçbiri haber yapmadı ağlamayışımı, bendeki metaneti, beş senedir teröre indirdiğim psikolojik darbeleri görmezden geldiler. Satılmış orospu çocukları.

Sonra olan oldu. Ağbimi öldüren teröristlerden biri üst kata taşındı. Saçı sakalı birbirine karışmıştı, ne de olsa dağda yaşamaya alışmış hayvan. Ne zaman merdivenlerden çıksa kapı deliğinden bakıyordum, kulağımı kapıya yaslayıp ayak seslerini dinliyordum. Geceleri İngiliz anahtarıyla üst kata giden kalorifer borularına vurup ürkütücü sesler çıkartıyordum. En sonunda dayanamadım, bizim dükkâna gittim.

"Öldürelim onu baba," dedim. "Ağbimin öcünü alalım."

Babam, "Allah'ından bulsun," dedi.

"Bulmaz. Sen öldürmeyeceksen ben öldüreyim. Türklük şuur ve gururu bunu gerektirir."

"Otur oturduğun yerde."

"Silahını ver, ben öldüreceğim. On iki yaşındayım, çok yatmam, çıkarım."

"Bacaklarını kırarım senin!"

"Hani ağbimin cenazesinde beni de alın komutanım, ben de savaşacağım, diyordun. Hani beni kucağında sallayıp bir oğlum daha var, bu vatan için onu da veririm, diyordun. Şimdi savaş zamanı baba! Hadi! Niye öyle ürkek bakıyorsun? Yoksa sen de her şehit cenazesinden sonra iki gün gaza gelen sahte milliyetçilerden misin?"

Cevap veremedi. Babamla ipleri attım. Anneme gittim. Babamın silahını istedim, vermedi. Ocağa gittim, il başkanıyla görüşmek istediğimi söyledim. Başkan ayakta karşıladı, çok sever beni, her sene yeniledi ilk hediye ettiği komando üniformasını zaten. Hemen bir oralet söyledi. Durumu anlattım.

"Tamam Nurettin," dedi. "Sen üzülme. Bizim çocuklara söylerim, bir bakıştırırlar. Dediğin gibiyse onu buralarda barındırmayız."

Başkan sağ olsun hemen dövdürdü teröristi. Apartmana girerken pencereden gördüm, zor yürüyordu, ağzını burnunu eline vermişler. Bir hafta evden çıkamadı. Ama yetmez. Sadece dövmekle olmaz ki. İki hafta bekledim, başka icraat yok, terörist iyileşti, sokaklarda elini kolunu sallayarak gezmeye başladı. Tekrar Ocağa gittim, "Bana verilen sözlerin yerine getirilmesini istiyorum sayın başkanım," dedim. "Eli kanlı terörist, bebek katili şerefsiz, oturuyor hâlâ üst katımızda."

Başkan, "Seni anlıyorum Nurettin ama elimizden bir şey gelmez," dedi.

"Nasıl gelmez?"

"Çocuk öğrenci. Bir eylemi yok."

"Ne yani, eyleme geçmesini mi bekleyeceğiz?"

"Eyleme geçemez. Bir şey yapamaz merak etme. Gözünü korkuttuk."

"Neden başkanım neden! Adam töröristse sıkalım kafasına, verin silahı ben sıkayım."

"Biz silahları gömdük Nurettin. Çatışmaya girmiyoruz artık, eskisi gibi değil işler."

"Hadi lan oradan sayın başkanım," dedim. "Daha geçen sene takır takır saydırdınız stadın arkasındaki otopark ihalesi yüzünden."

Başkanın sinirden eli kolu titredi. Tokat atacakken tuttu kendini.

"Git Nurettin git," dedi. "Sinirimi bozma benim!"

"Gitmiyorum."

"Nurettin çık dışarı!"

"Çıkmıyorum başkanım."

İki üç adam koluma girdi, kapıya kadar 'sen ne biçim konuşuyorsun lan başkanla,' diye dan dun giriştiler.

"Ben şehit kardeşiyim şerefsizler," diye bağırdım. "Hepinizden daha milliyetçiyim."

Başkan odadan çıktı, beni dövenleri bir kenara çekti.

"Lan ben size dövün mü dedim?" diye sordu.

"Ama başkanım falan," dediler, başkan dinlemedi, hepsini tokatladı. Hırsını alamadı, bir tanesine tekme attı, başka birinin kafasına da tespihini fırlattı. Dediğim gibi, başkan beni çok sever. Ama siyasi konjonktür nedeniyle elinden bir şey gelmiyordu.

İş başa düşmüştü. Teröristi teknik takibe aldım, kendi imkânlarımla etkisiz hale getirmeye çalışacaktım. İninde vuracaktım onu. Evdeki silahı aradım, annem benim kararlığımı gördüğünden olsa gerek çok iyi saklamıştı, belki de imha etmişti. Bütün dolapları altüst etmeme rağmen bulamadım. Bu sayede annemin bileziklerini buldum ama. Kuyumcuda bozdurdum hemen. Av malzemeleri satan dükkâna gittim, pompalı tüfek alacaktım. Adam satmadı. İzindi, form doldurmaydı, on sekiz yaşını geçmeydi falan, bir ton şey saydı, sinirden beynimden aşağı kaynar sular döküldü, adamla gırtlak gırtlağa geldik, attı beni dükkândan. Madem öyle, bilezikleri geri alayım bari dedim. Aynı paraya geri almadı şerefsiz kuyumcu, bir tanesini eksik verdi. Akşam o sinirle eve dönerken yerden büyükçe bir taş aldım, salladım teröristin penceresine, tam isabet, şangır şungur indi cam. Karşı apartmanın bahçe duvarına mevzilendim. Cama çıktı terörist, baktı baktı, içeri girdi.

Bu cam kırma olayı iki üç gün sakinleştirdi beni ama ondan sonra iyice sinirim bozuldu. Adamlar ağbimi şehit ediyor, ben sadece camlarını kırabiliyorum. Bu işte müthiş bir adaletsizlik vardı, ağbimin duvardaki resmine bakmaya utanıyordum. Askerdeyken yazdığı ve sonradan yüzlerce kez okuduğum mektupları yeniden okumaya utanıyordum. Başka türlü bir plan geliştirmeliydim.

Bıçaklamaya karar verdim. Komando bıçağımı biledim. Ama tehlikeli olabilirdi bu bıçaklama işi, ya hemen silahını çekerse? Çekerse çeksin ne olacak! Türk'e silah çekmek intihar demektir. Bıçağı alıp çıktım, kapısının önünden geri döndüm. Kafama iki yumruk attım, ne yapıyordum ben? Biraz mantıklı davranmalıydım, beni keklik gibi avlamasına müsaade etmemeliydim, aynı aileden iki şehit, göbek atarlardı artık. Stratejik bir plan yaptım. Komşu ziyareti süsü verip evine gidecektim, sonra boş bir anından faydalanarak sert bir cisimle kafasına vurup bayıltacaktım, bayılınca da artık boğazını kesiverirdim. Bıçağı arka cebime koyup çıktım. Tam kapısını çalacakken eve döndüm yine, mutfaktan kek alıp bir tabağa koydum, tekrar çıktım, kapıyı çaldım. Karnıma bir ağrı girmişti, kalbim güm güm atıyordu. Heyecanı kaldıramadım, geri kaçtım. Savaş psikolojisi işte. Kapı açıldığında bir kat aşağıdaydım.

"Kim o?" dedi bir kız sesi.

Bu kız nereden çıkmıştı?

"Benim," dedim.

"Sen kimsin?"

"Alt komşunun oğluyum. Annem kek yapmış, getireyim dedim."

Merdivenleri çıktım. Tabağı aldı. "Teşekkür ederiz, çok düşüncelisin," dedi. Hayatımda gördüğüm en güzel kızdı, göğüsleri çıkmıştı, taş gibiydi.

"İçeri gel istersen," dedi. "Biz de film seyrediyorduk."

Biz dediğine göre teröristle aynı saftaydı, çok yazık, hayatımda gördüğüm en yeşil gözlü kızdı ama gözlerinin rengi bir anda silindi gitti. Ne filmi seyrediyorlardı acaba? Ne olacak, örgüt içi eğitim filmidir. Beni de kafalayacaklardı akıllarınca. Yoksa neden içeri davet etsinler.

"Eee?" dedi.

"Ne eee?"

"Geleceksen gel, gelmeyeceksen kapıyı kapatacağım. Akşama kadar böyle durmayacağız herhalde."

Girdim.

Terörist içeriden, "Kim geldi?" diye seslendi.

"Alt komşunun oğlu canım!"

Terörist, "Merhaba," deyip elini uzattı, pis pis sırıttı. "Ben Semih."

Kod adındır, yemezler canım. Ben yedi yaşından beri terörle mücadele ediyorum, neler gördüm geçirdim. Elini sıktım, "Ben de Nurettin," dedim. Bırakmadım avucumdaki eli, gözlerinin içine baktım, "Gerçek adım tabii."

Güldü. Sevimli görünmeye çalışıyordu.

"Filmin en güzel yerindeydik. Şu bitsin de muhabbet ederiz," dedi. Yerine oturdu, donmuş filmi tekrar canlandırdı. Filme baktım, romantik Fransız sineması, örgütçülükle alakası yok, ben gelince değiştirmişti herhalde.

Güzel kız, "Ne içersin?" diye sordu.

Ortama baktım, bira içiyorlardı.

"Bira," dedim. "Öyle bakma, daha önce de çok içtim." Kız mutfağa gitti. Semih kod adlı terörist rahat adamdı, bira dediğimde hiç bakmamıştı bile, rahatlığıyla beni kafalayacaktı güya. Camı bile taktırmamıştı.

Daha önce bira içtiğim yalandı tabii, şüphe çekmemek için onlar gibi takılmaya karar vermiştim. Film on beş dakika sonra bitti. Bu arada kız Semih'e sarılmıştı iyice, keyifleri yerindeydi. Teröristlik çok rahat işmiş valla, bir elinde bira, bir elinde hatun, VCD'de film, gününü gün ediyordu şerefsiz. Film bitince terörist keki yedi. Doymadı, kebapçıdan pide söyledi hepimize. Paraları örgüt veriyordu tabii, ondan bonkördü böyle. Bizim komandolar dağda yılan yesin, bunlar her gün pide kebap, bir elleri yağda bir elleri balda. Planımı uygulamak için kızın gitmesini bekliyordum ama bir türlü gitmiyordu. Bir yerlere telefon açtılar, kızın yerine imza atmasını istediler birilerinden. Ne imzası olduğunu anlayamadım. Çok da kurcalamadım, ikisini birden öldürmeye karar verdim. Kız zaten, "Biz," demişti. Yine de son anda bir duygusallık yapıp ona kıyamayabilirdim, birincisi sahiden çok güzeldi, etrafına yaralı bir kurt gibi bakıyordu, tıpkı Börteçine. Gözler kalbin aynasıysa işim çok zordu. İkincisi tam olarak emin değildim terörist olduğundan, masum vatandaş olma ihtimali vardı. Siyasi görüşlerini sordum.

Güldüler. Teröristiz diyecek halleri yok. Aynı soruyu bana sordular. Ben gülmedim, buz gibi baktım, "Türk Milliyetçisiyim," dedim. "Saklayacak bir şeyim yok. Türk'sen övün, değilsen itaat et!" Enselerinde soluğumu duymalarının vakti gelmişti. İkisiyle de başa çıkabilirdim. Lakin biradan başım dönmüştü çok pis. Doğru zaman değildi belki de.

"Ben kalkayım artık," dedim.

Semih, "Yine gel Nurettin," dedi.

"Elbet geleceğim," dedim. "Bir gece ansızın."

Yine güldüler.

Her gün gitmeye başladım üst kata. Bir türlü cesaretimi toplayamıyordum. Bizim Semih'in bir sürü arkadaşı vardı. Bütün gün oturuyorlardı. Muhabbetleri iyiydi. Ben yanlarında olduğum için yapacakları eylemleri konuşamıyorlardı tabii. Bazen bir ikisi mutfağa çekilip fısıldaşıyordu. Hemen yanlarına gidiyordum, susuyorlardı. İki tanesi tam teröristti, resmen Kürt'tüler. Bir de övünüyorlardı bununla. İnsan en azından saklamaya çalışır, ben Kürt olsam kimseye söylemem mesela, kendi içimde halletmeye çalışırım o problemi. Ama bunlarda hiç utanma da yoktu, evin içinde herkesin duyabileceği bir desibelde Kürtçe konuşup bölücülük yapıyorlardı. Bütün bu tahriklere rağmen günlerce alttan aldım, "Gelin! Tek bayrak, tek millet, tek yürek olalım," çağrımı yineledim müteaddit kere. Dinlemediler. En sonunda dayanamadım, çektim bu ikisini karşıma, "Bugün Kızılderililer bile Türk olduklarını kabul ettikten sonra siz kimsiniz de biz başka bir milletiz diye lüzumsuz çıkışlar yapıyorsunuz," dedim. Güldüler. "Üniter devlet yapısını sarsamazsınız lan," diye bağırdım. "Yiyorsa bölün! Kolay değil öyle o işler!"

"Tam faşoymuş bu," dedi Kürdün biri. "Küçük Faşo," dedi öbürü. O günden sonra adım öyle kaldı, Küçük Faşo aşağı Küçük Faşo yukarı. Kendilerine taktıkları gibi bana da bir kod adı takmışlardı.

Kürtlerin ana dillerinde bölücülük yaptıkları bir gündü yine. Sinirim tepeme vurmuştu. Onlar gittikten sonra evin içinde sert bir cisim aramaya başladım. Bu sefer kesin öldürecektim Semih'i, hazır kız arkadaşı da yoktu, yalnız kalmıştık, aylardır beklediğim fırsat ayağıma gelmişti. Arka odada bir ütü buldum. Semih, Mali Tablo Analizi isimli saçma sapan bir dersin fotokopi notlarını okumakla meşguldü, vize haftasıymış. Arkasından sessiz adımlarla yaklaştım, kafasına indirecektim dan diye, görecekti esas tabloyu, şanlı Türk'ün analizini. Tam vuracakken döndü. Çakal! Arkasında da gözü vardı sanki, o kadar gerilla eğitimi almış tabii, kolay lokma değil.

"Ne yapıyorsun o ütüyle?" diye sordu.

"Hiç," dedim, bıraktım ütüyü. Birden, "Bana doğruyu söyle," dedim. "Terörist misin?"

Güldü yine.

"Gülmeyi bırak, bir sefer de adam gibi cevap ver, iki dakika delikanlı ol, rengini belli et. Teröristsen teröristim kardeşim de."

"Değilim."

"Kürt arkadaşların var ama."

"Evet var, ne olacak?"

"Şerefsiz," dedim.

Ayağa kalktı, "Ne diyorsun lan sen!"

Yakasına yapıştım.

"Benim ağbim sizin yüzünüzden öldü lan," dedim. "Siz öldürdünüz onu!"

"Ben kimseyi öldürmedim."

"Ağbim senin yaşındayken öldü. Bir ay vardı terhisine. Cenazesini bile göstermediler, paramparça olmuş."

"Bilmiyordum Nurettin. Çok üzüldüm."

Sustuk on dakika.

"Sen kimden yanasın," dedim.

"Ben barıştan yanayım."

Beynimden aşağı kaynar sular döküldü. "Siktir lan ne barışı," diye bağırdım. "Ağbimin katilleriyle mi barışacağım! Kafama sıkarım daha iyi!"

"Bu savaşın sonu yok ama."

"Olmasın! Sana ne! Senin keyfin yerinde tabii. Millet dağda savaşsın sen burada otur! Tembel herif! Vize haftası gelene kadar ders bile çalışmadın. Kız arkadaşın var, sarılıp yatıyorsun, günde kırk sefer öpüyorsun, kapıyı açmaya bile onu gönderiyorsun. Geceleri yurttan kaçıyor, senin yanında kalıyor, arkadaşları imza atıyor yerine. Yurt müdürünü aradım, şikâyet ettim zaten."

Yakamdan tuttu.

"Sen miydin lan o ihbarı yapan. Vay adi şerefsiz! Siktir git!"

Vileda sapını kavradım.

"Öldüreceğim lan seni!" diye bağırdım. "Ölü olarak ele geçireceğim lan seni!"

Sapı çekti aldı elimden, bir yumruk oturttu çeneme. Bıçağı o gün yanıma almamıştım, lanet ettim, çıktım gittim. Eve indim hırsla, sinirden titriyordum. Anneme, "Çabuk silahı ver," dedim. Vermedi. Bir bardak fırlattım kafasının üstünden, duvarda kırıldı. Başörtüsünün ucuyla ağzını kapatıp ağlamaya başladı. Üstüne yürüdüm.

"Sen söyledin bana! Üst kata ne idiğü belirsiz biri taşındı, kesin teröristtir dedin."

"Ne bileyim evladım, saçlı sakallı görünce öyle zannettim. Bana da komşular söyledi zaten. Ne bileyim, öğrenciymiş çocuk."

"Öğrenci möğrenci fark etmez, etkisiz hale getireceğim onu, çabuk silahı ver."

"Vermem."

"Sen ne biçim şehit annesisin! Ağbimin cenazesinde de ayıldın bayıldın zaten, senin yüzünden teröristler bayram etti. Yazıklar olsun sana!"

Annemle de ipleri attım. Gittim sahilde oturdum gün ağarana kadar, dalgalara baktım. Çırpınırdı Karadeniz'i söyledim. Gerçi deniz Marmara'ydı ama mühim olan duyguya girebilmekti. Gözlerim doldu, neredeyse beş sene sonra ilk defa ağlayacaktım. Çevreyi kolaçan ettim, kimse yoktu. Ama yumruğumu dişledim, tuttum kendimi. Teröristler uydu kamerasıyla fotoğrafımı çekerler Allah muhafaza, ondan sonra da 'bu muydu lan ağlamıyor dediğiniz çocuk' diye bir karşı propaganda başlatırlar hemen, sen en iyisi ağlama oğlum Nurettin dedim, sık dişini.

Semih'le küsünce yaşamanın bir anlamı kalmadı. Günler sakız gibi uzamaya başladı. Ne cinayet planları, ne bir ağız dalaşı, ne bir soğuk savaş atmosferi. Yalnızlık berbat bir şey, Kürtleri bile özlemiştim neredeyse. Dayanamadım, gittim kapısını çaldım. Öyle baktım boş boş. Sarıldı bana.

"Özlemişim lan seni," dedi. "Küçük Faşo, gir içeri."

İşte böyle barıştık, bir şey diyemedim girdim içeri, şeytan tüyü vardı şerefsizde. Biralarla, Avrupa sinemasıyla, geniş arkadaş çevresiyle, fıstık gibi kız arkadaşıyla kandırmıştı beni. Bu ne biçim memleketti böyle, muhabbet edecek tek arkadaşım vardı, o da teröristin biriydi.

Bir gün mutfakta makarna yapıyordum. Evde dünyanın adamı vardı. Ortama lüzumsuz bir ciddiyet çökmüştü. İki saattir, "Yapalım mı yapmayalım mı?" tartışması vardı.

Semih, "Bu ufacık yerde ne yapabiliriz ki?" dedi. "Kimse gelmez."

Makarnayı süzerken, "Yaparız," diye seslendim içeri. "Merak etmeyin."

Kürtler, "Şu küçük Faşo kadar olamadın," dediler Semih'e. Semih sinirlendi, "Tamam lan yapalım," dedi. "Ama demedi demeyin."

Yaparız diye atlamıştım ama ne olduğunu bilmiyordum. Salona girip "Ne yapıyoruz?" diye sordum.

"6 Kasım."

"6 Kasım ne?"

Yine güldüler. Alışmıştım artık bana gülmelerine, ben de güldüm. 6 Kasım'da Semih'in yanına gittim.

"Ne yapıyoruz Semih," dedim.

"Eylem. Sen otur evde."

"Hayır, ben de geleceğim."

"Otur."

"Ne eylemi?"

"Teröristlerin eylemi."

"Çocuk mu kandırıyorsun, öğrenci onlar. İkisinin arasında fark var."

"Baştan öyle demiyordun."

"Olabilir."

"Sen milliyetçi değil misin?"

"Hiç kuşkun olmasın," dedim. "Özbeöz Türküm ve şanlı milletimin milliyetçisiyim."

"Gelme o zaman."

"Neden?"

"Türklük şuur ve gururun bunu gerektirir Nurettin."

"Geleceğim."

"Neden?"

"Gelirim kardeşim, Allah Allah. Benim de arkadaş çevrem sonuçta, hepsini tanıyorum elemanların. Ayrıca siz çocukları ön saflarda kullanmaya bayılırsınız zaten."

Gittik. Şehrimizdeki ilk YÖK karşıtı eylem. Yirmi altı öğrenci, iki Kürt, bir Türk milliyetçisi, altmış çevik kuvvet polisi, yirmi özel güvenlik görevlisi ve her an müdahale etmeye hazır takviye esnaf kuvvetlerinin katılımıyla gerçekleşti. Polisler grubu çembere alıp ellerindeki biber gazlarını sıkmaya başlayınca herkesin gözleri doldu.

Öne çıktım, "Göz yaşartıcı gaz sıkmanıza gerek yok," dedim. "Arkadaşlar zaten yeterince duygusal insanlar."

Polisin biri copunu kaldırdı. Hem de bana! Müthiş sinirim bozuldu, "O copu alırım bir tarafına sokarım bak," diye bağırdım. "Ben şehit kardeşiyim! Sen kimsin lan bana cop kaldırıyorsun!" Polis afalladı bir an, copla birlikte donup kaldı. Arkasından iki üç polis daha geldi, konuşmaya fırsat vermeden vurmaya başladılar. Hangi birine dert anlatacaksın. Semih kolumdan çekip üstüme kapandı, dayağın çoğunu o yedi. Dayağı yedikten sonra amcamın oğluna şikâyet ettim bizim üstümüzde bizzat çalışanları. Çevik Kuvvet memuru olan amcamın oğlu tanımaya çalışır gibi baktı bana, tanıyınca da, "Senin burada ne işin var Nurettin?" diye sordu.

"Hiç. Arkadaşlara bakmaya geldim. Babama söylemezsen sevinirim."

Öğrencilerin hepsini topladılar, beni bıraktılar.

Babam akşam eve girer girmez iki tokat attı bana. Beş sene sonra ilk defa el kaldırıyordu, amcamın oğlu anlatmış meseleyi. Babam ağbimin duvardaki resmine bakıp ağlamaya başladı, "Bundan sonra üst kata çıkarsan hakkımı helal etmem sana," dedi. "Bizi düşünmüyorsan onu düşün."

Gene yapayalnız kaldım. On beş gün dayanabildim, sonra babam dükkândayken çıktım yine üst kata. Semih eşyalarını topluyordu, her tarafta koliler vardı. "Ne oluyor," dedim. Okuldan uzaklaştırma vermişler altı ay. Boşa kira ödememek için memleketine dönüyormuş. Seneye gelecekmiş.

"Bu eşyalar niye ortalıkta, götürmeyecek misin?"

"Taşıyamam. Arkadaşlara dağıtacağım eşyaları. Sen de bak, istediğini al. Filmleri sana bırakayım istersen."

"Yok," dedim. "Seyrettim zaten hepsini." Kolinin birinde ütüyü gördüm, "Şu ütüyü versene bana," dedim.

Ütüyü aldım. Arkasından yaklaştım. Döndü.

"O ütüyle ne yapacaksın?" diye sordu.

"Hiç," dedim.

Gözlerim dolmuştu, kendimi daha fazla tutamadım.

"Dönünce ara," dedim. "Emlakçı tanıdıklar var, her türlü yardımcı oluruz."

Bana uzun uzun baktı. Omuzlarımdan sarstı.

"Ne oldu Nurettin? Sen böyle duygusal bir tip değildin."

"Değildim ama işte bu durum şimdi çok üzdü beni. Sen gidince canım çok sıkılacak. Yine yalnız kurt gibi kalacağım ortalıkta. Günler yüzüme tükürecek."

Kendimi tutamıyordum bir türlü. Sıkıca sarıldı bana, "Ağla o zaman," dedi. "Açılırsın."

"Peki, ben ağlarsam Semih," dedim, "sana bunları yapanlar sevinmez mi?"

"Boş ver onları kardeşim," dedi. "Kimin umurunda ki..."

ALÇAKGÖNÜLLÜ ARZULAR

Ayşegül Turan'a,
anlattığı özel ders hikâyeleri için...

İngilizceyi sevmem, bir kere bir sürü lüzumsuz tense var. Düzensiz fiiller desen –Irregular Verbs– bir öyle bir böyle, yok ikinci hali yok üçüncü hali. İşin gücün yoksa otur onları ezberle, speak-spoke-spoken, hangi dilde bu kadar çirkin söz öbekleri vardır. Basit hikâye kitapları veriyorlar alın okuyun diye, onda da bir sayfa okuyana kadar yirmi sefer Redhouse'a bakıyorsun. En basit sözcüğün bile kırk tane anlamı var, cümlenin gidişinden bir şey çıkarmaya çalışıyorsun ama garantisi yok. Bir bilene sorayım desen, hangi birini soracaksın? Adamı da işinden gücünden edersin, hiç uğraşamam yani.

Uğraşmadım zaten, dönem ortasına doğru attım defteri kitabı bir tarafa. Gerçi hoca iyi niyetliydi, karne notlarını teslim etmeden evvel iki yazılıdan da zayıf alanları kurtarma sözlüsüne kaldırdı, ona da çalışmadım. Kırk kişilik sınıf mevcudunda ben ve sınıfın en gerizekâlı mensubu olan tip bütün aşamalarda çakmış iki kişi olarak çıktık hocanın karşısına. Hoca, "Ödev vereyim geçin bari," dedi. Bu cümledeki "bari" ibaresi koydu bana. Gerizekâlı, ödevi birilerine yaptırdı geçti, ben onu da yapmadım. Sonuçta dersten geçece-

101

ğiz diye birilerine yalakalık yapmaya lüzum yok, millete yalvaracağıma babamdan yumruk yerim, daha onurlu bir tavır. Nasıl derler, honor. Allah belasını versin, onura honor diyorlar, bilmemek suç. Redhouse'tan başka karşılıklar da aradım halime, 'loser' falan, belki...

Hoca, "Benden günah gitti," dedi, bastı zayıfı. Karneyi aldım, okuldan çıktım, keşke ödevi yaptırsaydım birilerine diye düşünürken sinirden ağladım. Amerika'da okulları basıp katliam yapan gençlerin ruh halini anlayıverdim o an. Tuhaf bir aydınlanma oldu bu. Sonuçta üçte biri gerizekâlı kalanı da durgun zekâlı bir sınıfta İngilizceden çakan tek insan evladı bendim. Tamam, bir dahi olduğumu iddia etmiyorum ama çalışsaydım yapardım. Evden bir açıklama bekleyeceklerdi, hoca bana taktı desem yalan olurdu. Öğretmenlik hayatında zayıf verdiği nadir öğrencilerden biriymişim, o da çok üzülmüş... Üzüleceğine geçirseydin o zaman, ikinci dönem çalışırdık.

Eve gittim, babam karneye baktı. Normalde sert bir adamdır. Bir sefer piknikte maç yaparken kendisine, "Ananın amına çam dikerim gölgesinde bacını sikerim," dedim diye üç yumruk atmıştı. Daha da vururdu ama annem koşmuş kurtarmıştı. Sekiz yaşındaydım o zaman, insan o yaşlarda ilginç bir küfür öğrenince sonuçlarını düşünmeden karşısına ilk çıkanın yüzüne haykırmak istiyor. Babam da haklıydı, sonuçta küfrün içinde rahmetli babaannem ve az ötede pikniğe beraber geldiğimiz halamlar da olunca cinnet geçirmişti adam. Bir seferinde de bizim kuruyemişçinin oralarda takılan tanıdık bir deliye, "Niye kendi kendine konuşuyorsun lan dingil," diye bağırdım diye dövmüştü. Gerçi o zaman on yaşındaydım ama birdenbire öfkelenmiştim deliye, deli numarası yapıyor zannetmiştim.

Babam karneyi bir yana bıraktı, olası bir yumruğa karşı gardımı almaya hazır bekliyordum. "İkinci dönem çalış düzelt," dedi, karneyi geri verdi, arkasını getirmedi. Gece gelir döver belki diye düşündüm, hatta uykuya dalmadan önce bekledim bayağı, yine ses çıkmadı. Babama bir haller oldu zaten, dedem öldükten sonra üstüne bir dinginlik çöktü, o ringlerin altın kemer mücadelesi veren çılgın ağır sıkleti gitti yerini mülayim bir eski boksöre bıraktı, binlerce yumruk yedikten sonra dünyayı anlamış bir hal çöktü üstüne. Geçen hafta anneme, "Hacılığa gideceğim seneye," bile demiş.

Hadiseyi dayaksız atlatmama rağmen sevinemiyordum bir türlü. Üstüme bir mahzunluk çökmüştü. Belki de babamdan birkaç yumruk yemiş olsam moralim o kadar bozuk olmazdı. Zihnim babama duyacağım öfkeyle meşgul olacağından, 8-F sınıfında İngilizceden çakan tek insan evladı olduğum gerçeğini unutabilirdim. Ertesi gün, annem bendeki mahzunluğun farkına vardı, gözünden hiçbir şey kaçmaz çünkü. No-Frost'a –No'yu biliyoruz da Frost ne demek– yazın depolayıp yeni çıkardığı taze fasulyeleri kırmayı bıraktı, bir yerlere telefon açmaya başladı, benden gizli bir işler çevireceğini anladım. İki gün sonra çıktı kokusu.

"Sana öğretmen buldum," dedi.

"Ne öğretmeni?"

"İngilizce."

"Ya anne manyak mısın, on beş tatilimi zehir mi edeceksin, zaten kırk tane öğretmenle uğraştım ilk dönem."

"Öyle öğretmen değil bu çocuğum, üniversite öğrencisi. Amerikan Koleji'nden mezunmuş."

"Parası ne olacak. Babam ödemez, rezil oluruz."

"Yok, ben konuştum babanla. Zaten İngilizce öğretmeni olmadığı için ucuza veriyor."

"Kaça veriyor?"

"Saati elli."

"Yuh! Elli lirayı bana verin, it gibi çalışırım."

Öğretmenin, daha doğrusu öğrencinin adı Gizem'di, tam vaktinde gelmişti. Böyle kızlar çıtı pıtı oluyorlar, güzelliklerinin bilincine tam olarak varamamaktan kaynaklanan bir şaşkınlıkla bakıyorlar ya çevrelerine, bitiyorum. Denizden yeni çıkmış Tanrıçalar misali, bunların mitolojileri bile ayrı bir güzel oluyor.

"Nereden başlayalım?" diye sordu.

"Ne bileyim işte, nereden başlasak aynı, bana fark etmez," dedim. "Sonuçta anlamayan benim."

Oflayarak pöfleyerek defteri kitabı çıkardım, sonuçta on beş tatili yanan da bendim, millet bahçede maç yapıyor, bizim evde dandik filmlerin Fransız mürebbiye atmosferi. Çıt çıkmıyor, annem toz bile almıyor, salondaki koltuğa yapışmış, gürültü çıkmasın diye kıpırdamıyor. Tek avantaj, Gizem'in güzelliği. Bu da bir avantaj mı dezavantaj mı ayrı bir tartışma konusu. Güzel ama kendine güzel. Bana ne faydası var? Hiç. Öpmeye kalksam bir anda soğur, basar tokadı.

Dersler başladı. Gizem bayağı bir şey biliyordu, her şeyden önemlisi sabırlıydı, bazen anladığım halde anlamamış gibi yaptım, başka şekilde anlatmaya çalıştı, günlük yaşamdan örnekler verdi 'for example' diye başlayan basit cümleler kurarak. Gıcıklık yapmadı yani, güvenimi kazandı. Bir seferinde çözdüğüm bir exercise'ın ardından saçlarımı karıştırmış, "Aferin çocuk," demişti. "Well done!" Aynı şekilde saçlarını karıştırmak suretiyle karşılık vermiştim. İşte o zaman mesafe koymuş, bir daha dokunmamıştı.

İkinci dönem başladı. Ben Gizem'e sinir olmaya başladım, başlarda sıkı çalışıyordum gözüne girmek için. Zaten kadınların gözüne girme tutkusu kimde yok ki? Erkek zekâsı bu tip kafa yormalar yüzünden gelişmiştir. Ben İngilizcede aşama kaydettikçe annem komşulara, bizim oğlan anadili gibi İngilizce konuşuyor demeye başladı. Babam bunun doğru olup olmadığını anlamak için kabloluda her akşam CNN'i açtı, beni yanına çağırdı, dinletti, dinletirken de sürekli, "Ne dedi! Anlıyor musun? Ne dedi!" diye sorup durdu panikle.

Görüntüye göre birşeyler salladım, sevindi ama çaktırmadı.

Sonuçta Gizem hayatımı mahvetti. Haftada bir saat ders anlattı gitti, ben altı gün yirmi üç saat onu bekledim. Onu düşündüm. Gizem'in gözleri, Gizem'in saçları, Gizem'in bakışları, Gizem'in bacakları, Gizem'in göğüsleri, Gizem'in kokusu, Gizem'in unuttuğu tokası, Gizem'in şaşkınlıkları, Gizem'in dersten derse değişen ruh halleri, Gizem'in sözcükleri doğru telaffuz etmem için çırpınan dudakları, Gizem'in adamı durduk yerde umutlandıran gülüşleri... Gizem'in o kadar çok şeyi vardı ki, başka bir şey düşünmeye imkân bırakmıyordu. Bir seferinde Gizem'i en güzel haliyle düşünürken annem yakaladı, yorganı üstüme çektim. Ertesi gün dükkânda leblebi kavururken –en sevdiğim iştir o makinede leblebi çevirmek– babam geldi, mastürbasyonun zekâ geriliğine neden olduğuna yönelik en son bilimsel gelişmeleri aktardı. İnanmış gibi yaptım. "Din hocanız gusletmeyi öğretti mi?" diye sordu. Bir şey demedim, o da sorusunda ısrar etmedi. Kuşku ve endişeyle süzdük birbirimizi, telepati dışındaki bütün iletişim kanalları tıkanmış iki adamın, şaşkın ve çaresiz bakışları işte.

Sınavdan önce hiç çalışmamama rağmen Gizem'in gözüne girmek için çabaladığım günlerin bakiyesiyle rahattım. Sınav kâğıdına baktım, çerez sorular. Biz bu soruların on kat zorunu Gizem'le beraber defalarca çözmüştük zaten. Hoca da ikinci dönem iyice abartmış, o kadar basit sormuş ki, beni bile geçirebilmek için uğraşmış yani. Özel ders aldığımdan haberi yoktu tabii. Çünkü annem kimseye söyleme demişti ders aldığını, bütün başarıyı sahiplenebilmek için herhalde. Yüz metreci olsam doping de yaptırır, böyle bir anne işte. Ama benim olası başarımda Gizem'in etkisi yadsınacak gibi değildi. O yüzden bildiğim halde yanlış yaptım bütün soruları. Gizem'e o zafer duygusunu yaşatmak istemedim açıkçası, ben en haylaz öğrenciyi bile adam ederim duygusunu yaşatmak istemedim ona. Sonuçta bu kadar karşılıksız arzunun da bir bedeli olmalı.

Annem veli toplantısından hayatta inandığı bütün manevi değerleri çökmüş bir halde döndü.

"Yine zayıf almış!"

Babam gazetesini katladı, önümde durdu. Mülayim bir adam oldu dediysek de o kadar değil. Katlanmış gazeteyi çarptı suratıma.

"Hayvan herif!"

İstediği kadar bastırmaya çalışsın nafile, hamurunda şiddet var adamın. Baktım içindeki Sibirya Kaplanı uyanmak üzere, gardımı aldım.

"Ben çalışayım didineyim, sabahın yedisinde açayım dükkânı sen oku diye, akşamın dokuzunda kapatayım dükkânı sen oku diye. Özel hoca tutayım sen oku adam ol diye. Sen de çaba sarf etsene biraz. Serseri puşt! Hıyarağası pezevenk! İt!"

Babama kızdığı anlarda bir küfür yetmez, illaki yanına alakalı alakasız çeşit yapacak, kuruyemişçi ya, karışık vereyim tutkusu. Annem araya girdi yine. "Belki doğru öğretememiştir," diyerek Gizem'e dair şüphelerini dile getirdi. Annelik içgüdüsü işte, başarısızlık nedenlerini öncelikle dış mihraklarda arar. Gizem'e hafif sitem de içeren bir telefon açtı. Gizem, "Paranızı iade edeyim o zaman," demiş. Suçu üstlenmiş. Bu da başka türlü bir bencillik belirtisi. Masumken bile suçu kendi üzerine almak. Bu tipleri iyi bilirim, Hiroşima'ya bomba atıldığında bile en çok vicdan azabını bunlar çekmiştir. Bu iyi vicdanlı tiplerin yozlaşmış türleri de vardır, bombalama olaylarından sonra telefon kulübelerinden gazeteleri arar, bir örgüt adına üstlenirler hemen. Sonuçta herkesin bir tipi var işte, hangi birini tahlil edeceksin? Annem, para iade teklifini kabul etmedi. Babam makul bir yorumda bulundu, "Kızın bir suçu yok, hoca falan yaramaz bu ite!"

Gizem o hafta derse geldiğinde hayli üzgündü. Güzel kızlar bu dünyada daha çok acı çekiyorlar ama bunda benim bir suçum yok. Her zaman böyle olmuş bu, ben çektirmesem başkası çektirecek. Okula gidip hocayla konuşmuş, sınav sorularını almış. Önüme koydu. Soruları bilerek yapmadığımı anlamıştı. "Bunların hepsini yaptık, biliyorsun." dedi. "Hadi fiillerin ikinci üçüncü halini unuttun diyelim. Ama I'dan sonra 'have' koymayı da mı unuttun? Bu kadar zor mu?"

"Hani tekil öznelerden sonra 'has' gelir diyordun."

"I'dan sonra değil."

"Niye? I tekil değil mi? Ben kaç kişiyim o zaman? Sen kaç kişisin?"

"Neden böyle yapıyorsun?"

"Sen neden böyle yapıyorsun Miss Özüdoğru," dedim. "Neden bırakıp gitmiyorsun? Neden başarı egolarını benim üstümde tatmin etmeye çalışıyorsun?"

"Başarı egom falan yok! Ortaokullardaki not ortalamasını yükseltmek gibi bir amacım da yok, paraya ihtiyacım var sadece."

"Başkasına ders ver."

"Veriyorum zaten, üç öğrencim daha var."

"Dört öğrenciye saati elli liradan haftada bir saat ders versen, ayda sekiz yüz lira eder," dedim. "İyi para. Ben sekiz yüz lirayı bir arada görmedim."

"Bununla kiramı ödüyorum ve diğer masraflarımı karşılıyorum. Sana ders vermek için başka bir öğrenciyi reddettim, çünkü annen çok ısrar etti. Kolay kolay öğrenci de bulamıyorum, çünkü İngilizce öğretmeni değilim."

"O zaman dersini ver, paranı al git, gerisini kurcalama."

"Benim para almam için senin de en azından elli altmış alman lazım."

"Why?"

"Ne demek why! Annene babana yazık! Boşa mı gidecek o kadar para?"

"Boşa gitmiyor sana gidiyor, kiranı ödüyorsun."

"Böyle iş olmaz."

"Bana ortaklık mı teklif ediyorsun? Paranın yarısını ver o zaman, altmış alayım. Yetmiş seksen dersen, biraz daha pahalıya mal olur."

"Tamam, bırakalım o zaman."

Resti gördüm, "Bırakalım!"

Çantasını topladı. Baktım harbiden ipleri atıyor, "Anneme ne diyeceğiz?" diye sordum.

"Müsait değilim, sınavlarım var derim," dedi.

"Niye bu itoğluitin dersle kitapla alakası yok demiyorsun, niye suçu üstüne alıyorsun?"

"Çünkü itoğluit değilsin, sadece aklın bir karış havada. Ukalasın ama sevimli bir tipsin aslında."

Yine boş bulundu, saçımı okşadı. Ensesinden tuttum, kendime çektim, dudaklarından öptüm. Kendini kurtardı, gözleri pörtledi. Açık hava konserlerinde annesini kaybetmiş çocuklar gibi dehşetle baktı bir an. Ama suç onda, benim gibi adamları, nasılsa on üç yaşındadır, daha çocuktur diyerek, ay ne sevimlisin tarzında sıfatlarla baştan çıkarmayacaksın güzelim, tutar öperler, kalırsın öyle. Gizem, ilk şaşkınlığı atlattıktan sonra sert bir tokat çıkardı. Sinirden çenesi titriyordu. "İtoğluit!" diye fısıldadı. Çantasını alıp kalktı. Hırsını alamadığından olsa gerek döndü, bir de tekme salladı. Sandalyeden düşüyordum az daha.

Bütün bunların altı saniye içinde olması da ayrıyeten incelenmesi gereken bir şey. Öpüyorsun, bakıyor, tokat, küfür, kalkıyor, dönüyor, tekme, sandalyeden düşecekken dengeyi sağlama. Hepsi altı saniye. Çok iyi biliyorum ki ikimiz de unutmayacağız bu altı saniyeyi. Beraber ders yaptığımız on altı saat unutulacak, günden güne karanlığa gömülecek ama bu altı saniye hep öyle yüzeyde kalacak. Ancak bizimle beraber toprak altına inecek. Belki de on altı sene sonra geriye dönüp baktığımızda, ortak geçmişimizi anımsarken, vaktinde saatlerce hatta günlerce öpüşmüşüz gibi bir his de olacak içimizde. Onu öptüğüm an ve ardından yaşananlar büyüyecek, genişleyecek, taşacak uzamından.

Kapıyı çekip çıktı. Annem elinde çaylı bisküvili tepsiyle odaya girerken neredeyse çarpışıyorlardı.

"Ne oldu?"

"Artık ders veremeyecekmiş."

"Niye?"

"Sınavları varmış."

"Nereden bulacağız böyle kızı bir daha, ucuza veriyordu."

Bazen, annem bu her tarafa çekilebilecek sözleri bilerek kullanıyor zannediyorum. Sanki alttan alta dalga geçiyor benle.

"Bir şey verdiği yoktu zaten anne."

"Nasıl yoktu?"

"Ders anlatırken kendini veremiyordu."

Annem hemen ertesi gün başka hoca bulmak için çalışmalara başladı. "Ben başka hoca istemiyorum," dedim. "Gelecekse Gizem gelsin."

"Neden? Hani kendini veremiyor diyordun."

"Onun sistemine alıştım bir kere, Amerikan ekolünden geliyor. Telaffuzu biraz bozuk ama iyi öğretiyor, başka hocayla çalışamam."

Annem telefon açtı, dil döktü, ağlamaklı oldu ama Gizem gelmedi. Babam, ara sıra nükseden şiddet gösterilerini bir yana bırakırsak, aramızdaki en makul insandır. "Saat ücretini yetmiş beş liraya çıkaralım," dedi. "Para her kapıyı açar." Gizem'i aramadan önce bana döndü, "Hocaya yetmiş beşi veririm ama zayıf alırsan da belanı ızdırabını sikerim."

Gayet net bir tehdit.

"Alo Gizem Hanım. Merhabalar. Ben Serkan'ın babası. Nasılsınız inşallah?"

Sanki az önce küfreden o değilmiş gibi babamın bu halden hale girmeleri yok mu, işte buna da bitiyorum.

"Efendim tabii biliyoruz derslerinizin ne kadar yoğun olduğunu ama bizim kerata da başka hocayla anlaşamıyor. Sizin sisteminize alışmış efendim. Çok güzel bir ekolünüz var. Şimdi şöyle yapsak, saat ücretinde yirmi beş lira gibi bir artışa gitsek, hem siz yorulup bize gelmeyin, derslerinizin arasında müsait olduğunuz bir saati ayırırsanız, bizimki kitaplarını alır gelir. Siz nerede anlatmak isterseniz oraya gelir. Tabii sizin hakkınız yetmiş beşle ödenmez ama bizim durumumuz da malum. Ancak bu kadar çıkabiliyoruz."

Gizem karşıdan net bir cevap verdi ama babam çabuk pes eden biri değildir. Loser değil, tam bir esnaf, zaman kazanırken bir çıkış noktası aradı.

"Yani biliyorum bizim oğlan serserinin teki, adam olacak bir tip değil, biz zaten kendisinden umudu kestik, ortaokulu bitirmesi bile büyük bir başarı olur. Sizden de büyük bir beklentimiz yok, strese girmeyin, sadece sınıfı geçsin, kırk elli alsın yeter. Kaldığı takdirde de herhangi bir para iadesine gerek yok. Kalırsa kendi salaklığıdır itin."

Babam biraz daha düşündü tarttı.

"Yoksa size bir terbiyesizlik mi yaptı!"

"Hımm, anlıyorum," dedi. Bana baktı. O an kanım dondu. Tuttu beni öptü demişse... Üçüncü katta oturuyoruz, öz oğlum demez tutar atar balkondan aşağı. Babamın bütün düşünce zincirini tahmin edebiliyordum. Hane içinde taciz, hacılığa gitme planları, gusül abdesti almayı bilmeyişim, boşa giden ders paraları, her akşamüstü bedava leblebi verdiği deliye sarf ettiğim aşağılayıcı sözler, piknikte anasına bacısına ettiğim küfür, o öldükten sonra kuruyemişçi dükkânını satıp parasını kötü kadınlarla yiyişimden kahkaha efektli hayali sahneler, bilincini yarı yarıya kaybetmiş bir halde dalar bana.

Telefonu kapatınca annem, "Ne dedi?" diye sordu.

"Zeki bir çocuk, onunla bir sorunum yok diyor ama çok önemli sınavları varmış."

Vaktinde biri ülkemizdeki bütün kızları çok pis korkutmuş, hiçbirinde gerçeği söyleyecek cesaret bırakmamış. Ben kız olacağım da ders vermeye gittiğim evde beni öpecekler var ya, dünyayı ayağa kaldırırım, analarını sikerim.

Annem ağlamaya başladı, omzuna dokundum, "Ağlama anneciğim," dedim. "Don't cry for me! Ben hallederim. Just do it!" Sanki büyük bir haksızlığa uğramış gibi odama gittim. Biraz müzik dinledim, gökyüzüne baktım. Ne yapıyoruz bu gezegende diye düşündüm, bütün bu saçmalıklar ve bütün bu acılar neden. İki üç hafta sonra kendime geldim, itliğe ara verdim, sınavdan iki gün önce oturdum adam gibi çalıştım. Normalde sınavdan bir gece önce çalışmaya başlarım. Annem sınav sabahı okunmuş pirinç yutturdu. 72 aldım, eve geldim, 80 aldım dedim. Annem sevindi, babam sevincini gizledi.

"Gizem iyi temel attı sana," dedi. "Başarı hemen gelmez tabii, anca ikinci yazılıda düzelttin. Kız iyi temel attı sana."

"Baba ben bu konuda ilerlemek istiyorum. Gizem Hoca'yı arasan da saatine yüz lira versen, yazın da derse gelse."

"Olmaz, ayda dört yüz eder, neredeyse asgari ücret."

"Baba lütfen ya, geleceğimle oynama. Turist rehberi falan olmak istiyorum. Kuruyemişçide oturup ne yapacağım, bir dil öğreneyim bari."

"Ciddi misin?"

"Yes, I'm."

"Kendin ara konuş o zaman, gelirse saatine altmış veririm."

"Hani yetmiş beş veriyordun."

"O eskidendi, artık temelin var, oduna ders anlatmayacak."

"Telefonla olmaz. Kaç sefer denedik gelmiyor. Bir hediye alayım da bari öyle gideyim yanına."

"Ne alacaksın?"

"Bilmiyorum, çarşıya gidince bakarım."

"Ne kadar vereyim?"

"Bir 100 lira ver."

"Oha."

"Tamam, 50 ver."

Elliyi aldım, kırkı cebe attım, onuyla çiçek yaptırdım. Üniversiteye girerken kapıdaki güvenlik tip tip baktı. Özgüven problemim olmamıştır hiçbir zaman, hemen çiçekçi çocuk ayağına yattım.

"Kime götürüyorsun?"

"Gizem Özüdoğru, psikoloji bölümü, nişanlısından geliyor, çok önemliymiş."

"İyi geç."

"Ziyaretçi kartı vermeyecek misiniz?"

"Yok, geç."

"Az önce giren adama verdiniz ama."

"Lan tamam geç."

Gizem'in bölümüne gittim. Bir iki kişiye sordum, kantine bak dediler. Kantinde arkadaşlarıyla oturuyordu. Uzaktan baktım. Özgüvenim bir anda çöktü, bir çekingenlik geldi üstüme. Lüzumsuz yere yaratılmış heyecanların sıkıntısı, birdenbire utanca dönüşen arzular. Benim hayatımın özeti bu zaten. Hatırladıkça tüylerimi diken diken eden utançlar silsilesi. Piknikte küfür, deliye sözlü taciz, annemin oda baskını, Gizem'i öpüş... Bu kadar yetmedi mi? Demek yetmemiş. Ruhumda daha da alçalmak isteyen bir potansiyel varmış. Yanına gittim. Çiçeği uzattım. "Teşekkür ederim Gizem," dedim titreyen bir sesle. "94 aldım." Arkadaşları biraz alaycı güldüler sanki. Ya da bana öyle geldi işte.

"Biraz yalnız konuşabilir miyiz?"

Başka masaya geçtik. Çiçek öbür masada kaldı.

"Sevindim," dedi.

"Neye?"

"94 almışsın."

"Aslında 72 aldım ama arkadaşlarının yanında söyleyemedim böyle ortalama bir başarıyı."

Annemin babamın hatırını sordu. Öpüşme olayından hiç bahsetmeyeceğini anladım. O yüzden durup dururken özür dilemenin de anlamı kalmamıştı. Özür dilemeyi de sevmem zaten, telefon açtık, çiçek aldık, teşekkür ettik. Daha ne yapalım. Ders anlatırken kırk yılda bir yanlışlıkla dizlerime değen o güzel dizlerine mi kapanalım?

"Sana bir çay alayım," dedi, kalktı. Üniversite rahat bir yer, herkes kendi halinde, çay sigara, hocalarla senli benli muhabbetler, karşıt görüşlü öğrenciler arasında çıkan kavgaların heyecanı, her şeyden önemlisi kafanı ne tarafa çevirsen bir sürü güzel kız var. Adamın zihni açılıyor, Gizem'in güzelliğini fark etmek için bile çok dikkatli gözlere sahip olmak lazım. Zaten üniversiteye giren bir daha çıkmak istemiyormuş, yok yüksek lisans yok doktora, bütün bu akademik kariyerlerin ardında üniversiteye ilk kez girilen o günün şaşkınlıkla karışık sevinci olsa gerek.

Gizem, iki çay ve sekiz şekerle döndü. Yedisini ben attım, nasıl içtiğimi unutmamış, düşünceli kız. Yazın ders olayını açtım. Yine, "Olmaz," dedi. Yüz elli liraya kadar çıkmayı kafaya koymuştum, cepte var kırk, babam verecek altmış, elli de annemden tırtıklarım, ilk ders ücreti tamam. İkincisi için de artık Allah kerim. Durumu anlatırız bir şekilde. Belki dersten sonra beş on dakika vakti olur, balkonda oturur çekirdek çitleriz, ice-tea içeriz. Sonra çıkarız, otobüs durağına kadar geçiririm kendisini. Otobüse biner, öğrenci kartını gösterir, otobüs hareket ettiğinde acaba hâlâ durakta bekliyor muyum diye bakar, el sallarım, gülümser. Alçakgönüllü arzular işte, olduğu kadar...

"Konu paraysa sorun değil Gizem. Don't worry."

"Sorun para değil. Amerika'ya gidiyorum."

"Nasıl ya?"

"Fulbright bursuyla."

"Ne zaman dönersin?"

"İki üç sene sonra."

"Sevindim," dedim. Müthiş üzgün olduğum halde, duygularını saklamasını çok iyi beceren gerçek bir centilmen gibi kalktım. El sıkıştık. Acaba arkadaşlarından biri ders verir mi diye ağzını yoklayacaktım ama sustum, bu kadar karizma yaptıktan sonra geri dönüş zor. Herkeste aynı tutku var, birbirinin zihninde en karizmatik haliyle yer etmek. Kapıya yürüdüm. Çıkarken dönüp bir daha baktım. Sonuçta öptüğüm bir insan kendisi. İnsan hayatında kaç tane üniversiteli kız öpebilir ki? Hadi bunu geçelim, on üç yaşındaki hangi itoğluit Fulbright bursuyla Amerika'ya gitmek üzere olan bir kızı öpebilmiştir. Eldeki kaynaklarla ancak bu kadar olur.

Eve gittim, açıla kapana parça pinçik olmuş Redhouse'tan Fulbright'a baktım, yok. Zaten en lazım olan kelimeleri koymazlar bu sözlüğe. Bir de Google'dan aratmak lazım. Ama Google'ın manası da ayrı bir problem. Yeni başlayanlar için çok zor bir dünya bu, hayli zor... Bazen şöyle düşünüyorum, dünyaya gelirken melek şeklinde dizayn edilmiş görünmez bir rehber verseler. O da ihtiyacımız olduğu anlarda fısıldasa kulağımıza, Fulbright şudur kardeşim, Google'ın da esas manası budur, şuradan git sola dön, TEDAŞ da orada, elektrik faturanı mesai saatleri içinde yatırabilirsin. Kimsenin kendi kendine konuşan insanları yadırgamadığı bir dünya olurdu işte bu. Üzüldüğün zaman bile beraber ağlardın rehber meleğinle. İşte o zaman görürdü Allah Teâlâ gözyaşlarımızı, gelin evladım buraya derdi, bir şu üzüldüğünüz şeylere bakın bir de evrenin sonsuzluğuna. Bu kadar acı yeter size, bu kadar saçmalık yeter, haydi gelin biraz da bu tarafta yaşayın.

KİMİ SEVSEM ÇIKMAZI

Canım ağbim Erkan Goloğlu'na...

Üç yazdır olduğu gibi bu yaz da dükkânda oturmuş telefonla verilen siparişleri alıyorum. Dursun Amca da dandik kamyonetimizle, benden aldığı adresler doğrultusunda dağıtım yapıyor. Sadece tüp değil damacanayla su da satıyoruz. Babam tüpçülüğe başladıktan sonra bütün tüpçüler gibi mutfak tüpüne benzemeye başladı. Beli kalınlaştı, saçı kelleşti, bıyık bıraktı. Eskiden sahibi olduğu Meydan Kıraathanesi'nde kâğıt oynamayı bırakmadı ama. Sadece görsel olarak katkıda bulunuyor mesleğe, sıkıntıyı çeken biziz.

Basıp gitmek istiyorum buradan. Bilhassa, her Allah'ın günü ha patladı ha patlayacak tedirginliğiyle oturduğum, gaz kokulu, basık tavanlı, yarı karanlık dükkândan. Yazlıkçıların fazla rağbet göstermediği bir kıyı kasabasına falan atabilsem kapağı, her gün plaja gider yarım kilo çekirdek çitlerdim. Üstüne de bir buçuk litre buzlu su içerdim. Kızlara bakardım göz ucuyla. Hatta yaz günlerine özgü o beklenmedik rüzgârlardan biri şemsiyelerini uçurduğu takdirde, onlar olayın heyecanıyla zıplayıp küçük çaplı çığlıklar atmaya devam ederken daha, yardım amacıyla yanlarına gider, o uçuk şemsiyeyi tutar, bütün gayretimle, ta ki hiçbir rüzgârın deviremeyeceği bir sağlamlığa erişinceye dek saplardım kızgın kumun derinliklerine. Bu arada da tanışırdım bir ikisiyle mutlaka. Akşamüstü plaj tenhalaşınca, deniz süt liman olduğunda, yassı taşları suların üstünde sektirir, kaygısız kahkahalar atardık, seninki beş sefer sekti canım ama bak benimki sekiz sefer diye atışırdık.

Ama ne gezer! Babam hayli sert biri. Gençliğinde adam öldürmüş, 74 affıyla çıkmış. Gerçi beni fazla dövmedi. Otoritesini şiddete başvurmadan sağlamayı seven tiplerden.

"İyi akşamlar."

Yüzüme kapattığım ellerimin şahadet ve ortaparmakları arasından, soyunurken 'gözlerini kapa,' diyen bir kadını oyunbozanlık yapıp çaktırmadan dikizler gibi bakıyorum. Gelen, Handan'ın kardeşi.

"Nasılsın Berke Ağbi?"

"Dehşetin dibindeyim canım. Tüp ya da su lazım mı?"

"Yok."

"Otur bir çay söyleyeyim."

"Annem merak eder."

"Neden geldin o zaman?"

"Hiç. Geçerken uğradım."

"İyi ettin."

"Hadi hayırlı işler."

"Sağ ol canım."

Gitti. Minik kalçalarına baktım. On üç yaşında, ben on yedi. Niyetim Handan'dı ya da bir mucize olursa anneleri. Ama bu kız her geçen gün biraz daha fazla karıştırdı aklımı. Üç aylık nabız yoklamasının ardından utangaç bir çıkma teklifinde bulunmuştum Handan'a. Olur dediğinde, nasıl sevinmiştim. Buluşmaya kardeşiyle birlikte geldiğini görünceye kadar. Bu ne demekti? Buluşmayı kabul ettim ama sakın yanlış anlama, aramızda birşeyler olabileceği fikrini çıkar aklından. Bir daha arasaydım, belki yalnız gelirdi. Ellerimi yüzümden ayırıp Tüpçüler Odası'nın masa takvimine bir yumruk attım. Beni yanlış tanımışsın Handan! Benim de bir gururum var. Ayrıca başka güzel kızlar da var okulda. Bir sürü olasılık var. Ama yaz tatilindeyiz. Herkes bir yere gitti, ben buraya çakıldım. Şimdi plajda, tek ayağımın üstünde zıplıyor olabilirdim. Yüzerken kulağıma su kaçmış olabilirdi çünkü.

Dükkânın önüne çıktığımda çoktan gitmişti. Daha on üç yaşındaydı ama o da Handan ve annesi gibi, bir afeti devran olma yolunda emin adımlarla ilerliyordu. Tabii bu tip dönemlerde bir yaşın bile büyük önemi var. İki taraf da yirmi yaşını geçtikten sonra fazla problem kalmıyormuş diyorlar. Handan'ın kardeşi yirmi yaşına geldiğinde ben yirmi dört olacağım, belki o zaman Handan'dan ve annesinden göremediğim ilgiyi ondan görürdüm. O saçma sapan kafedeki buluşmada, ablasının yanında bir nevi gözlemci sıfatıyla bulunurken ne de içten gülüyordu.

"Bülent! Bülent!"

Döndüm, babam. Her zamanki gibi hafif aksayarak geliyordu. İlk kurşunu öldürdüğü adam sıkmış, o mezara, babam topallayarak cezaevine. Yine de nefsi müdafaa dememişler. Babam cezaevinden çıktığı günden beri Ecevit'e oy verir. Adalet onun sayesinde yerini bulmuş. Sadece kendi davasında değil, bütün memleket meselelerinde de böyleymiş. Oysa babamın bütün arkadaşları MHP'lidir. Sarkık bıyıklı, takımla gezen, ciddi tipler. Ecevit, MHP'yle koalisyon yaptığında en çok babam sevindi. Sanki koalisyonu kuran kendisiymiş gibi, her an telefon açacaklar da bakan oldunuz diyeceklermiş gibi ağzı kulaklarında gezindi ortalıkta bir iki hafta.

"Ne arıyorsun dışarıda?"

"Şey için çıkmıştım..."

"Dükkâna dön!"

Babam, hayatının bize anlatmadığı dönemlerinden birinde anında tersleme kursuna gitmiş. Kendince yanlış gördüğü bir durum mu var, hiçbir açıklamaya müsaade etmez. Beni dükkânın önünde görmesi yeterli, "Baba içeride sızıntı var, patlama olacaktı," desem de dinlemez. Çünkü ona göre dükkânda oturup telefonlara bakmam gerek, patlarsa çıkarım. Ama artık yetti, ta burama geldi. Basıp gitmek, en azından bunu babama söylemek istiyorum. Bunu dile getirebilmek bile basıp gitmek kadar büyük bir başarı olur benim için.

"Ne bakıyorsun öyle, bir şey mi var?"

"Yok..."

"İyi. Dursun Amcan dönünce dükkânı kapatın, yemeğe gelin."

Dursun Amca babamın cezaevinden beri arkadaşı. Hangi işe girse yanından ayrılmaz, yemekleri de bizde yer. Babamın girdiği işlerin haddi hesabı yok. Kıraathane mi açtı, Dursun Amca çay ocağına bakar. Emlakçı mı açtı, Dursun Amca evleri gezdirir. İçkili bir lokantayı mı devraldı, Dursun Amca mezeleri hazırlar. Tüpçüyü devralmaları da başlı başına bir hadise. Tüpçünün yaşlı bir kadına borcu varmış. Kadın babama gelmiş, borcunu tahsil etmesini istemiş. Babam da borca mahsuben adamın dükkânına el koymuş, üstüne geçirtmiş noterde. Kadına parasını da kârdan pay vererek taksit taksit ödemeye başlamış. Lakin taksit dilimleri ufak olduğundan kadının ömrü bütün borcunu tahsil etmeye vefa etmedi.

"Berke yemeğini soğutma canım!"

Anneme baktım. Babamdan yirmi yaş küçük. Üçüncü karısı. Babamın diğer evliliklerinden de beş çocuğu var ama bizi onlarla tanıştırmıyor. Bazen kendisi görmeye gidiyor. Dursun Amca da bankaya gidip her ay hesaplarına para yatırıyor.

"Doydum."

Babam önce anneme sonra da bana baktı. Anneme tebessüm etti, bana dönünce buz gibi oldu. Bir kaşık daha aldım. Babam annemi çok sever, zaten kimseyle bu kadar uzun süre evli kalmamış. On sekiz sene, babam gibi daldan dala atlayan bir adam için hayatının en istikrarlı süreci. Annem, diğer evliliklerden olma çocuklara düzenli para yattığını duyunca anında valizleri toplamış, beni koluna takıp çıkmıştı evden, bir hafta teyzemlerde kalmıştık. Sekiz yaşındaydım o zaman. Babam bizi geri döndürmek için bütün beyaz eşyayı yenilemek zorunda kalmıştı. Hiç görmediğim kardeşlerime gönderdiği paraları da azaltmıştı. Annem her ay hesap cüzdanlarını kontrol eder hâlâ. Yemeği zar zor bitirdim.

"Kalkabilir miyim?"

"Nereye gideceksin?"

"Biraz hava alacağım."

"Çok geç kalma."

Hırsızlık için keşfe çıkmış gibi Handanların apartmanının önünde dolanmaya başladım. Bir daha deneseydim şansımı, belki yalnız gelirdi. Handan, annesi ve kız kardeşi. Üçü de birbirinden güzel. Ama gurur yarası.

Handan'ın annesi lise birdeyken edebiyat hocamızdı. Kalçasını kalorifer peteğine yaslar, romantik şiirler okurdu ya da en alakasız şiirlere bile romantik bir eda katmasını bilirdi. Alper Tunga Öldü mü diye sorardı mesela, hep beraber içlenirdik: Issız acun kaldı mı? Kalmaz mı hocam kalmaz mı? Özetle, harikulade bir kadındı. Ben buradayım diye bağırmayan yeşil gözleri vardı. Gözde mühim olan budur zaten, irilik, parlaklık değil, yalınlık. Bazen sağda solda duyuyorum, insanlar birbirlerine, "Çok güzel gözlerin var," diyor. Saçma! Göz, yüzden ayrı bir şey değil ki, hatta bedenden ayrı bir şey değil ki ve hatta ruhtan bile ayrı bir şey değil. İster yedi yaşında olsun ister yetmiş, bu gezegende ben erkeğim diye gezen hiçbir insan evladı Handan'ın annesine karşı kayıtsız kalamaz. Bir gün bir öğrenci tahtada yazdığı kompozisyonu okurken "Biraz kay," diyerek yanıma oturmuştu, ben de sıra arkadaşıma doğru yaklaşmıştım bir parça. Bacak bacak üstüne atmıştı. Dizi dizime değmişti. Dizinin dizime değişi, Handan'ın annesi için bir kelebeğin kanat çırpışıysa benim için kasırgaydı. Kaç sene geçti, hâlâ unutmam, günde en az beş sefer aklıma gelir. Biliyorum bu durumun, kökeni memeden kesildiğim güne kadar uzanan psikolojik nedenleri vardır. Ama bir kadını unutulmaz yapan şey, bir vakitler ona duyulan arzunun şiddetiyle doğru orantılı değil midir? O arzunun kıyısında, gerçekleşme olasılığının tam yanı başında, sanki arada başka hiçbir engel yokmuş gibi rahat davranabilmekle, kendini o tatlı yanılsamaya kaptırabilmekle doğru orantılı değil midir? Bu olgunun da mı sorumlusu benim mutsuz geçen çocukluğum? Cevap? Yok! Kalırsın öyle...

* * *

Bütün yazı dükkânda çekirdek çitleyerek ve siparişlere bakarak geçirdim, diğer yazlardan farklı olarak günlük tutmaya başladım. Sıradan günlerimi, işini ciddiye alan bir zabıt kâtibiymişçesine en ince ayrıntısına kadar kayıt altına aldım. Bu tutkuyu nasıl anlatmalı? Sıradan günlerin üstünde yoğunlaşırsam, o günlerin sıradan olmaktan çıkacağı yönünde çocukça bir hevese kapılmıştım diyelim. Dolayısıyla, gölgede kırk bir derece olan 23 Temmuz 2002 günü Türkiye saatiyle 13.30'da, Dursun Amca'nın, bir omzunda tüp diğer omzunda damacanayla merdiven çıkarken kalp krizi geçirdiğini rahatlıkla söyleyebilirim. Ayrıca babamın, "Durumu kritik," diyen başhekimi "O zaman siktir git kalp masajı yap, elektroşok ver şerefsiz," diye anında terslediğini de ekleyebilirim buna. Ardından, "Dursun ölürse bu hastaneyi başınıza yıkarım lan!" diye de bağırmıştı. Bunun üzerine "Hoopp! Hiişş! Dayı mısın lan?" diye üstüne yürüyen güvenlik görevlileri babamı aralarına aldılar. Allahtan, Ocaktan elemanlar yetişti de babam haşat olmaktan kurtuldu. Dursun Amca bir hafta yoğun bakımda yattıktan sonra hayata döndü. Ziyarete gelenlerin kafa tokuşturma âdetleri yüzünden başım ağrıdı.

Taburcu olduktan sonra Dursun Amca telefonlara bakmaya başladı, ben de siparişleri teslim etmeye. Bu sayede bayağı kol kası yaptım ama anam ağladı, sahiden ağladı, kaç sefer söyledi babama, "Yeni birini al yanına, bu çocuğu bu kadar yorma, bak ehliyeti de yok, kamyonetle çiğner birini Allah muhafaza," dedi ama dinletemedi. Babam, "Hele bir okullar açılsın da bakarız canım," demekle yetindi. Kimseye canım demez, büyük bir gelişmeydi bu onun için. İşten kurtulmak için o kadar kırmızıda geçtim, aşırı hız yaptım, hatalı solladım, hatta sağladım. Ceza kesmeyi bırak, ehliyet soran bile olmadı. Tüpçü kamyonetlerine trafik önceliği var şehrimizde, bir ambulans şoförleri bir de biz; karışan eden yok.

O korkunç 22 Ağustos günü, kamyoneti sağa çekmiştim. Bayılacak gibiydim. Asansörü bozuk on katlı bir binanın dokuzuncu katına bir omzumda tüp diğer omzumda damacanayla tırmanmıştım. İnsan çok yorgun olduğu anlarda gururunu yenebiliyor. Sarhoşluk gibi bir şey. Handan'ı aradım. Buluşalım diyecektim, istersen kardeşini getir, istersen anneni getir. Hatta hep beraber gelin. Telefonu yedinci çalışında açtı, hastaymış, çıkamazmış. Hazırladığım onca lafı yutmak zorunda kaldım, hasta hakları diye bir şey var.

Kamyonete dönünce Dursun Amca telsizle irtibat kurdu, tütün yorgunu sesiyle bir adres yazdırdı.

"Adresin doğru olduğundan emin misin?" diye sordum.

"Niye sordun?"

"Çünkü bu Handanların adresi."

"Evet, anası aradı az önce."

Kamyoneti şık bir patinajla seri kaldırdım, köşeyi dönerken üç yaşlarındaki bir çocuğu eziyordum az daha. Annesi balkondan çığlık attı. Bu çocukları da yapıyorlar yapıyorlar sokağa bırakıyorlar, anlamıyorum.

Tüpü sırtlayıp apartmana girdim. Asansörde saçlarımı düzelttim. Handanların maddi durumu bizden iyi. Babası önemli bir meşrubat şirketinin şehrimizdeki başbayisi. Ayrıca meyveli sodayı Türkiye'ye getiren adam olduğu söyleniyor. Zili çaldım.

"Kapı açık, çekinme gir."

Handan'ın annesinin sesi. Bu kadar ılık ve davetkâr bir ses olamaz. Hafif aralık kapıyı ittim, ayakkabılarımı çıkardım. Çünkü biz tüpçüler terbiyeli insanlarızdır, emlak komisyoncuları gibi ayakkabılarla dalmayız haneye. Mutfağa girdim, orada oturuyordu, mutfak masasının yanında. Okuduğu kitabı ters çevirdi, açık biçimde masanın üstüne koydu.

"Merhaba Nurullah."

"Merhaba hocam."

"Berke mi demeliydim? Hep yoklama listesindeki ilk adlar geliyor aklıma."

"Önemli değil hocam," dedim. "Nurullah, Bülent, Berke fark etmez, bir adamın bu kadar çok ismi olduktan sonra. Bülent'i babam koymuş, Berke'yi annem istemiş, Nurullah da rahmetli dedemin adı."

"Türlü yaparken tüp bitti."

"Anlıyorum hocam, türlü en çok tüp bitiren yemeklerimizdendir."

Hafif gülümsedi. Artı puan. Dolu tüpü boş tüpün yanına koydum. Dedantörünü çıkardıktan sonra tüplerin yerini değiştirdim. Handan'ın annesi tekrar kitabına döndü. Açık balkon kapısının yanına oturmuş, eteğini toplayıp çıplak ayaklarını önündeki sandalyeye uzatmıştı. Kitaba baktım, ismini seçemedim. Güvenlik mekanizmasını söküp dolu tüpü bağlamaya başladım. Ortak geçmişimizden bir espri konusu aradım boş yere. Sevimli gözükme tutkusu. Lanet olsun. "Yaz tatilinde bir şey okudun mu?" diye sordu birden. "Ben okumayı pek sevmiyorum. Yazmak daha zevkli." "Okumadan nasıl yazıyorsun?" "Yaşadıklarımı not ediyorum." "Okumadan nasıl yaşıyorsun?"

Cevap yok.

"Okudukların yaşadıklarını değiştirir, değiştirmese bile farklı bir gözle görmeni sağlar."

O sıcakta yeni bir edebiyat dersine hazır değildim ama onu incitecek bir şey söylemeyi de kesinlikle istemiyordum. "Ben bunu biraz düşüneyim," dedim. Dedantörü dolu tüpe taktım. Handan'ın annesi 36 yaşında, okulun web sitesinden özgeçmişine bakmıştım. Belki de hiçbir zaman o yaz olduğu kadar güzel olmamıştır. Üstündeki o genç kız şaşkınlığını, büyüdüm ama çocuksu ruhumu koruyorum saçmalamalarını atalı hayli zaman olmuş, her santimetreküpüyle bir kadın. Çiçekli bir elbise giymiş. Ama şu babaannelerimizin giydiği türden çiçek desenli basma entarilerden bahsetmiyorum. Böyle bir elbiseyi ancak bir kâinat güzeli mutfakta kitap okurken giyer. Üstten iki düğmesi açık, teşhir amaçlı değil, öyle olması gerektiği için.

Ocağın yanıp yanmadığını kontrol etmek üzereyken bir anda olduğum yere çakıldım. Çünkü açık balkon kapısından eteğini havalandıran beklenmedik bir rüzgâr esti. Sandalyeye uzattığı bacakları, bir heykelin açılış töreninde ipin çekilip örtünün kalktığı anlarda olduğu gibi ansızın ortaya çıktı, yüreğim ağzıma geldi. Ayak tabanlarından kalçasına kadar, her şey oradaydı. Hafif buğday rengi, pürüzsüz. Bir an külotuna da kaydı gözüm, siyah, önü dantelli. Külotun ince kıvrımlarına, o ince kıvrımların kalçanın başladığı yerde bıraktığı ince izlere de bakıverdim o telaşla. Bütün bu gözlem ne kadar sürdü tam hatırlamıyorum, bir saniye de sürmüş olabilir bir yıl da. Ama aceleyle eteğini iki bacağının arasına topladığını çok net hatırlıyorum. Baktığımı görmüştü. Yerin dibine geçtim. Ne gördüğünü çaktırmadı, sadece balkon kapısını ittirdi biraz.

"Sokak kapısını açık bırakmışsın, ondan cereyan yapıyor."

Cevap veremedim, sanki cereyan yapsın da eteği açılsın diye sokak kapısını bilerek açık bırakmışım gibi, onu kötü emellerime alet etmeye çalışırken planlarım suya düşmüş gibi, kaldım öyle, bin kat yerin dibine geçtim. Cebimdeki yağlı çakmakla, ocağın yanıp yanmadığını kontrol ettim. Başım eğik, mutfak kapısına yöneldim.

"Para almayacak mısın?"

Döndüm.

"Ne kadar?"

"Otuz dört."

Elli verdi, ellerimdeki titremeyi gizlemeye çalışarak bir yirmilik uzattım.

"Dur dört lira vereyim."

"Önemli değil, su getirirken alırız."

"Ama biz suyu başka yerden alıyoruz."

"Önemli değil, onlar alır."

Güldü, beş lira koydu cebime. Daha savaş başlamadan yere serilmiş gerizekâlı bir asker gibi, savaşta değil tatbikatta ölmenin buruklığıyla kendimi zar zor attım koridora.

"Boş tüpü almayacak mısın?" diye seslendi arkamdan.

Allah'ım bitsin bu işkence. Yine döndüm, boş tüpü sırtladım.

"Bu kadar abartmana gerek yok," dedi.

"Neyi?"

"Dalmışım, esen rüzgârı hesaba katmadım. Kim olsa bakardı."

"Haklısınız, kim olsa bakar, yani size bakar... Yani öyle demek istemedim, yani kötü bir niyetim yoktu herhalde."

"Bunu da yazacak mısın günlüğüne?"

"Yok, ben böyle şeyler yazmam. Ayıp olur. Bir de babam okursa falan, bir hadise çıkarır."

Kapının önüne boş tüple yürüdüm. Ayakkabılarımı giyerken elinde dondurmayla Handan'ın kardeşi geldi. Üstünde basketbol forması vardı. Daha doğrusu formanın sadece üst kısmı. Forma büyük geldiğinden dizlerinin bir karış üstüne kadar iniyordu. Bana, turnikeye çıkacakmış gibi yaklaştı, tatlı tatlı gülümsedi. Gözleri Handan'dan ve annesinden daha yeşil, saçları da onlar gibi kestane değil, daha açık renk. Böyle bir kızı belli bir kategoriye sokamazsınız, kumral desen değil sarışın desen değil, nevi şahsına münhasır bir tipleme işte. Her gün, Handan mı annesi mi kardeşi mi daha güzel acaba diye düşünüyorum. Buna karar vermek için kalabalık bir halk jürisinin toplanması gerekir.

"Merhaba Berke Ağbi."

"Merhaba canım, nasılsın?"

"İyiyim."

Dondurmasını topu potaya bırakır gibi uzattı.

"Kornet ister misin? Şu tarafından al istersen."

"Hayır canım," dedim. "Başkasının yaladığı dondurmayı yalamam ve her sabah kendi diş fırçamı kullanırım, prensiplerim var."

"Çok esprilisin Berke Ağbi. Senin en çok bu yönünü seviyorum."

Sen, bir sefer ablanla beraber saçma sapan bir kafede gördün beni küçük kız, bir iki sefer de tüpçüye uğradın ayaküstü, ne zaman sevilecek yönlerimi tasnif ettin böyle. Oradan kaçmalıydım, yoksa ailecek baştan çıkaracaklardı beni. Dayanamadım. "Handan yatıyor mu?" diye sordum.

"Hayır, dışarıda."

"Hasta değil mi?"

"Değil. Samet'le çıktılar."

"Ne! Şu PAF liginde oynayan gerizekalıyla mı? Avarel Samet."

"Evet."

Handan'ın kardeşi sırtını döndü. Formanın arkasında Samet yazıyordu. Bir de imzalamış. İte bak, sanki NBA'de oynuyor. Kapıyı çektim, daha fazla cereyan yaratmadan çıkmak istiyordum. Tam kapanacakken tuttu kapıyı, "Ablam, senin onu sevdiğini düşünüyor," dedi. "Dün akşam konuştuk, aramızda kalsın tabii."

Sırtımdaki tüple merdivenin ilk basamaklarını inmeye hazırlanırken durdum, "Bak canım," dedim. "Şu dünyada üç kadın kalsa bile, ablanı sevmeden önce uzun bir kararsızlık yaşardım. Ona böyle söyleyebilirsin, aramızda kalmasına gerek yok. Ayrıca akıllı kızlar Avarel'den hoşlanmaz, Red Kit'i severler."

"Sen Red Kit misin?"

"Samet'in yanında herkes biraz Red Kit'tir. Bilhassa bunu söyle, iyice kır kalbini. Bir kalbi varsa tabii."

* * *

Ertesi akşam kamyoneti dükkânın önüne çektim. İçeri girecektim, baktım Dursun Amca yok, masanın arkasında babam oturuyor. Geri döndüm.

"Bülent! Bir gel bakayım."

İçeri, elimi alnıma siper edip başım önde girdim.

"Bu kamyonetten niye traktör gibi ses çıkmaya başladı."

"Bilmiyorum, sıcaktan herhalde, hararet yapıyor."

Öbür taraftaki tüpleri inceler gibi yapıyordum.

"Sen bir bana baksana!"

Döndüm ama yere bakıyordum.

"Kafanı kaldır, elini alnından çek."

Sekerek geldi, yüzümü gözümü inceledi.

"Kimden dayak yedin?"

"Yok baba, dayak falan."

"Kim şişirdi o zaman bu gözü?"

Sağ gözüm şişmiş, kaşımı da kendisiyle beraber şişirerek küçük çaplı bir balon oluşturmuştu yüzümde. Akına da kan oturmuştu.

"Yok baba, küçük bir tartışma."

"Kimle?"

"Bilmiyorum. Yolda."

"Sebep?"

"Ters bakma."

"Sen hiç vuramadın mı?"

"Yok."

"O kadar tüp taşıyorsun, iki tane çakamadın mı ağızlarına?"

"Of baba ya, of!" diye isyan ettim yıllar sonra.

Şaşırdı.

"Ne oluyor lan ne oluyor!"

"Bıktım buradan, bu gaz kokusundan, üstümdeki başımdaki yağdan, denkleştirmeye çalıştığım kirli para üstlerinden. Yaşamaktan..."

"Ne bıkması lan! Ne olacaktı ya! İt mi olacaktın, serseri mi olacaktın! İşin gücün var işte, ne güzel çalışıyorsun."

"Evet çalışıyorum!"

Sinirden titriyordum. Babam soru dolu gözlerle bakıyor, anlamaya çalışıyordu bu ayaklanmanın nedenini.

"Çalışan benim!" diye bağırdım. "Ama dört yıldızlı otellerdeki bayi toplantılarına giden sensin. Hayatında bir sefer tüp değiştirdin mi? Asalak!"

Babam bunları duyunca bir adım geri attı. Ağzı şaşkınlıktan açık kaldı bir süre.

"Evladım! Sakatım ben."

"Sakat değilsin. Katilsin!"

Bunu duyunca çıldırdı. Titreyip kendine geldi, yumruğunu sıktı, bana vuracakken durdu, döndü duvara vurdu.

"Değilim! Katil değilim! Nefsi müdafaa. İlk o sıktı, topal kaldım. Keşke ben ölseydim de o topal kalsaydı."

Başını ak güvercinli duvar takvimine vurarak ağlamaya başladı. Onu can evinden vurmuştum. Yaklaştım, omzuna dokundum şefkatle. Sakinleşmesini bekledim.

"Sen beni öldürdün baba," dedim.

"Ne diyorsun evladım sen?"

"Beni de bu dükkânda öldürdün, boğarak öldürdün!"

"Ne boğması lan?"

"Tüpgazla boğdun, damacana sularla boğdun!"

Kapıyı çarpıp çıktım. Peşimden çıktı. "Bülent! Bülent! Bir dur lan," diye seslendi. Hızlı yürüdüm, yetişemedi.

* * *

En salaş birahaneye girdim, iki bira, yarım kâse bayat fıstık. Masaya yumruk. "Öldürdünüz lan beni," diye bağırdım. Kovdular. Sokağa çıktım. Şeytan diyordu ki: babana, birahanedeki sarhoşlara ve bütün dünyaya olan sinirini üst üste ekle, dayan Handanların kapısına, "Yeter lan sizden çektiğim!" de, onlara yansıt ne varsa. Bir kestane ağacının altında oturdum, neredeyse ağlayacaktım. Eve dönsem mi dönmesem mi diye uzun süre düşündüm. Babam da artık, dövecek mi öldürecek mi ne yapacaksa yapsın, sırf bakış, sırf karizma, ucuz bütçeli bir gerilim filmine döndü aramızdaki ilişki; iç parçalayan diyaloglar, korkutayım derken güldüren sahneler. Dursun Amca geldi yanıma, babamın beni Meydan'da beklediğini söyledi.

Kıraathaneye girdim. Çeçenistan bayrağının altında kâğıt oynuyorlardı. Beni görünce kâğıtları bıraktılar. Gittim yanlarına, hiçbiriyle kafa tokuşturmadım.

"Beni çağırmışsın baba."

"Geç şöyle," diyerek karşısına oturttu beni. Belinden 14'lüyü çıkarıp birazdan üstüne elini basıp yemin edecekmiş gibi masaya koydu. "Bundan sonra bu silahı taşıyacaksın yanında," dedi. "Biri sana sataştı mı? Önce havaya sık sonra topuğuna. Kapalı mekândaysan vur kabzayı alnına. Nasıl kullanılacağını biliyorsun, kırk sefer talim yaptık arazide. Çekinme al, ruhsatı var."

Silahla bir takım artistlikler yaptı, tetik düşürdü, evirdi çevirdi, önüme koydu.

"Baba yapma ya..."

"Ne demek yapma! Benim de bir şerefim var! Benim oğlum nasıl dayak yer. Benim zürriyetimden birinin gözünü kim morartabilir? Ben senin yaşlarındayken Ulucanlar'da gün sayıyordum. Müebbet yemiştim, hayatım kaymıştı, cehennemi yaşadım."

Yine aynı hikâye. Ecevit'in gelip de adaletin yerini bulması... Genel af olmasa ne ben dünyada olurdum, ne de annem annem olurdu... Uzamasın. 14'lüyü belime taktım. Babam ben silahlanınca rahat bir nefes alıp "Dükkâna da yeni birini aldım," dedi. Yanında oturan gencin omzuna vurdu. "Delikanlı bir çocuk. Ocak'tan." Bana döndü, "Sen bundan sonra derslerine yoğunlaş," diye devam etti. "Okulların açılmasına az kaldı. Okuyup adam ol."

Babamın yanındaki sarkık bıyıklı, "Evet," dedi. "Kalem kılıçtan keskindir."

"Tamam reis," dedim. "Sağa sola ateş etmem."

Kalktım.

"Ben biraz hava almaya çıkıyorum."

"Çok geç kalma, alkol alma."

Belimdeki 14'lüyle Handanların evinin önünde, gözünü kan bürümüş –sahiden bürümüştü– bir kiralık katil gibi dolaşmaya başladım. Balkonlarında bir karartı vardı, bana seslendi, "Berke Ağbi sen misin?"

"Evet canım."

"Dur iniyorum."

Handan'ın kardeşi, ördek desenli kısa şortuyla, minimal göğüslerini belli eden askılı bodysiyle ve parmak arası terlikleriyle karşıma dikildi.

"Gözün çok acıyor mu?"

"Yok bir şey canım."

"Hep benim yüzümden..."

"Bu konuyu kapatalım, şu duvara oturalım."

Apartmanın bahçe duvarına oturduk. Dizi dizime değdi. Çekmedi, ben de çekmedim. Sanki hiç böyle bir şey yokmuş gibi oturmaya devam ettik. Saçlarını kulak arkasına atıp bana döndü.

"Ablam gerizekâlı olduğunu düşünüyor," dedi. "Ve de hayvanmışsın, senin yanında herkes biraz insan evladı sayılırmış."

"Seni bunları söylemen için mi gönderdi?"

"Evet."

"İyi," dedim. "Hakaret ettiğine göre bir kalbi varmış demek."

"Bunu ona söyleyeyim mi?"

"Hayır, söyleme. Sen benim hakkımda ne düşünüyorsun canım?"

"Ne?"

"Nasıl biriyim sence?"

"Bilmem, esprilisin işte," dedi yüzünde hınzır bir ifadeyle.

"Yakışıklı mıyım peki?"

Bana yaklaştı, sanki sorduğum sorunun cevabını arıyormuş gibi öyle mahzun baktı bir an. İçimde bir umut ışığı belirdi. Neredeyse öpmeye yeltenecektim. Bizim aile böyle, güzel kadınlar karşısında elleri ayaklarına dolaşan adamlar yardımlaşma ve dayanışma derneği. En ufak bir umut ışığı görmeyelim, anında sapıtırız, bizi duygularını belli etmeyen mülayim aile babalarının dünyasına bağlayan şey bir pamuk ipliğidir diyebilirim. Büyük amcam, ailenin en zengini, kuyumcuydu. Pavyonlara takılmaya başladı, konsomatrisin birine tutuldu, ona beşi bir yerde garsonlara da cumhuriyet altını taka taka yiyip bitirdi koca kuyumcuyu. Sonra dine döndü ama bizimkine değil, Yehova Şahitlerine. Babam, ikinci karısını gördüğü gün üç çocuğunu ve ilk karısını ardında bırakıp bir valizle çıkmış evinden. Annemi gördüğünde de iki çocuğunu ve ikinci karısını bırakmış aynı şekilde. Birine daha âşık olsa da bizi de bıraksa diye düşünmedim değil.

"Neden öyle bakıyorsun!"

"Hiç."

"Berke Ağbi bana bir şey mi söylemeye çalışıyorsun?"

Evet canım, evet. Bir şey söylemeye çalışıyorum. Bir kartopuydun seni ilk gördüğümde, günler geçtikçe zihnimin en ücra yamaçlarında yuvarlana yuvarlana büyüdün ve şimdi bu akşam, bir çığ halinde indin üstüme. Seviyorum seni, hastayım sana!

"Hayır canım," dedim. "Sen git. Ben bir şey söylemek istiyorsam doğrudan söylerim zaten, prensiplerim vardır."

Dizini çekti. Duvardan kalktı. Arkasına bulaşan kireci temizledi ve terliklerinden löp löp sesler çıkararak koşar adım uzaklaştı. Bir şey mi demek istiyormuşum. Lafa bak. Daha on üç yaşındasın, bir şeyi de anlama, bir parça saftirik ol, bir parça lolita atmosferi yaşat.

Okullar açıldı. Ben bütün sonbahar Handan'ı, annesini ve kardeşini düşündüm. Aramızda geçen diyalogları, bana karşı tavırlarını, en ufak mimiklerini bile bir bir tasnif ettim. Handan'ın babasını bile düşündüm, tabii o manada değil. Okulu astım, dersleri boşladım, günlük tutmayı bıraktım. Moralim o kadar bozuktu ki, bitmek tükenmek bilmeyen uzun kış gecelerinden birinde başıboş adımlarla arşınlarken ıssız sokakları, daha fazla dayanamadım, havaya üç el ateş ettim üç yerinden kırılan kalbimin isyanını simgelemesi babında: Tak Tak Tak! Balkona çıkıp bakanlar oldu, "Girin lan içeri," diye bağırdım. Polisi aramışlardır diye ara sokaklarda gözden kayboldum.

3 Kasım seçimlerinden ötürü babamın da morali bozuktu. Ecevit'in hezimete uğraması yetmiyormuş gibi MHP de barajı aşamamıştı. O sinirle dükkânın camını çerçevesini indirmişti gayriresmî seçim sonuçlarının açıklandığı saatlerde. Eli kesilmiş, sekiz dikiş atılmıştı. Hatta üç gün kapatmıştı dükkânı protesto amacıyla. "Bu nankör halka ne tüp satarım bundan sonra ne de su!" demişti. Ben ilk defa oy kullanmıştım.

* * *

Bahara kadar bekledim. Sabrederek, tasnif edilebilecek her şeyi tasnif ederek ama sonra dayanamadım, nefsime hâkim olamadım. Handan'a telefon ettim, açmadı. "slm meraba cok acil ve hayati bir konuyu görüsmk istiyorm senle bulusabilir miyiz acaba sana da uygunsa sevgiler berke," diye mesaj çektim, cevaplamadı. Telefonu tedirgin olduğu için açamamıştı diyelim ama mesajıma soğukkanlılıkla "Hayır," yazabilirdi. Cevap vermediğine göre onun gözünde benim gibi biri yoktu. Eğer onun gözünde yoksam ne kadar yokum diye düşünmeye başladım. Bunun derecesini tayin etmeye çalıştım. Bütünüyle mi yoktum acaba, yoksa kısmi bir yokluk muydu benimki? Dünyada iki kişi kalsak mesela, arar mıydı? Aramazsa herhalde kati surette yok sayılırdım onun gözünde. Ya da yolda yürürken ben görmeden önce o görse beni, yolunu değiştirir miydi? O zaman yine kati surette yok sayılır mıydım? Ya da ikimiz aynı anda göz göze gelsek, yol değiştirmeye imkân olmasa, o zaman selam verir miydi? Selam verirse mecburen mi var olurdum acaba?

Akşam dershane çıkışına gittim, bekledim. Dershaneden çıkıp da beni görmemesine imkân yoktu, kabak gibi duruyordum kapının önünde. Önümden geçerken durdu, şöyle bir baktı ne istiyorsun gibilerden. Delice güldüm. Hızlı adımlarla uzaklaştı test kitaplarını göğsüne bastırıp. "Yokluk derecemi tayin etmeye çalışıyorum," diye bağırdım arkasından.

Eve gittim. Annem kirli tabakları bulaşık makinesine yerleştiriyordu. Mutfak masasına oturdum, onu seyretmeye başladım anlamsızca.

"Niye geldin?"

"Hiç."

Annem kırk yaşında. Bakmasını bilen gözler için hâlâ güzel sayılır. Babamın durumuna göreyse muhteşem bir kadın. Yani altmış yaşındasın, topalsın, tüpçüsün, amatör mafyasın, vur empatinin gözüne, aslında kimsenin iplediği yok seni bu dünyada... İşte böyle bir kadın, seni yine de ayakta tutabilir o zaman, çevrene gururla bakmaya devam edebilirsin, daha düşmemişsindir o kadar. Annem makinenin kapağını kapatıp bana döndü.

"Bir şey mi var Berke?"

"Evet. Üçüncü kadın olmak nasıl bir duygu?"

"Ne?"

"Babamın üçüncü karısı olmak."

"Bilmiyorum, hiç düşünmedim."

"Hadi canım."

"Neden soruyorsun bunları?"

"Seni de bırakıp gideceğinden korkmadın mı hiç? Dördüncü bir kadın bulsa mesela."

"Başlarda korktum biraz. Ama sonra pek düşünmedim."

"Neden?"

"Seviyor beni, bırakamaz."

"Sevilmek nasıl bir duygu?"

"Böyle bir duygu."

"Güzelmiş."

Annem bizim gibi duygusal bir tip değil. Heyecanlarını belli etmez. Ağladığında bile belli bir ölçüsü vardır, hemen ellerinin dışıyla siler göz pınarlarını, bastırmaya çalışır o duygusallığı. Ağlamaya başladığı zaman kendini gaza getirip daha çok ağlayan kadınlara benzemez. Yanıma oturdu, elinin dışını alnıma koyup ateşimi kontrol etti.

"Handan yüzünden mi?"

"Evet."

"Sorun ne?"

"Ben yokum."

"Nasıl yoksun?"

Bana sarıldı. İttim ellerini.

"Dokunma bana!"

"Neden?"

"Çünkü beni sevmiyorsun!"

"Nereden çıkardın bunu?"

"İsteseydin babama kabul ettirirdin."

"Neyi?"

"Kamyonetle tüp dağıtmazdım geçen yaz. Üstüm başım yağlı olmazdı, uşak gibi girmezdim Handan'ların evine."

"O kadar ağladım evladım, dinletemedim ki babana."

"İsteseydin dinletirdin."

"Nasıl?"

"Ne bileyim. Valizi toplayıp teyzemlere gidebilirdik yine. Çok iyi bilirdin kabul ettirmesini ama yapmak istemedin. Çünkü yeterince sevmiyorsun beni. Bu daha berbat bir şey. En azından Handan'ın beni sevmediğinden eminim. Ortada çok net bir durum var. Sende öyle bir netlik yok. Seviyor gibi görünüyorsun ama sevmiyorsun aslında."

"Evladım onlar nasıl sözler, ben seni seviyorum."

"Sevmiyorsun. Yeterince sevmiyorsun. Yeterince sevsen, bütün sevmeyenler adına da severdin beni. Çok gayret ettin beni sevmeye ama olmuyor işte. Babamı sevmediğin için beni de sevemedin bir türlü. Mesele bu, biz senin hayatını mahvettik, gençliğini güzelliğini mahvettik."

Çıktım gittim. Birahane. Altı bira, bir kâse fıstık. Handan'ın annesine telefon açtım, "Alo. Seni seviyorum," dedim.

"Sen kimsin?"

"Nurullah hocam. Nurullah Bülent Berke Kamiloğlu. Hepsi benim. Kamiloğlu Ticaret Tüpgaz ve Damacana Su Bayisi'nin veliahtıyım. Kocanı terk et! Bana gel."

"Nurullah ne diyorsun sen? Delirdin mi?"

"Konu bu değil."

"Konu ne?"

"Kocandan ayrıl bana gel. Seni seviyorum. Sana cesaretim var. Sana hazırlık yaptım! Bu hayat denen maskeli baloya seni sevmek için geldim. Bu şiirsiz dünyanın kalbi olmak için geldim. Merak etme, kızlara da çok iyi babalık yaparım."

"Nurullah bunları duymamış olayım."

"Niye?"

"Ne demek niye?

"Neden olmaz? Bir sebep söyleyebilir misiniz hocam?"

Cevap yok.

"Baktığım için mi?"

"Nurullah saçmalama evladım."

"Sevimli görünme tutkum yüzünden mi? Heyecandan boş tüpü unuttuğum için mi?"

"Nurullah sen sarhoş musun?"

"Konu bu değil. Suçum ne? Neden olmaz?"

"Nurullah kapatıyorum."

"Kapatma intihar ederim. Kapatırsan kafama sıkarım, şakam yok."

"Ne intiharı, ne diyorsun çocuğum sen?"

"İntihar etsem ne çıkar. Öldürdünüz zaten beni, yaşatmadan öldürdünüz."

"Kim öldürdü?"

"Siz."

"Nurullah evladım, kendine gel."

"Kocan yüzünden mi? Kocanın çok önemli bir adam olduğunu mu düşünüyorsun? O meyveli sodayı Türkiye'ye getirdiyse biz de ilk emniyet supaplı tüpü getirdik bu şehre."

Beş saniye kadar sustuk. Telefonu kapattım. Bir hafta evden çıkmadım. Kendi kendimi yedim. Alkollüyken bütün iletişim araçlarından uzak duracağıma yemin ettim. Tehlikenin geçtiğine inanınca yeniden dolaşmaya başladım Handanların evinin önünde. Allah'tan Handan'ın kardeşi, evin önünde gezen adamlara karşı sürekli tetikte. El ettim, yanıma indi yine. Apartman duvarına oturduk.

"Berke ağbi sen hasta mısın?" diye sordu.

"Yoo..."

"Ablamın arkasından abuk subuk laflar etmişsin geçen akşam."

"O mu söyledi bunu?"

"Evet."

"İyi. Bir kulağı varmış demek ki."

"Bu aşk seni delirtti mi?"

"Hayır canım, akli dengem yerinde. Sana bir şey soracağım, annen benim hakkımda bir şey söyledi mi?"

"Ne gibi?"

"Ne bileyim, onunla görüşme gibi."

"Hayır. Niye böyle bir şey sordun Berke Ağbi? Annemle aranızda bir şey mi geçti yoksa?

"Yuh! Annenle aramızda ne geçebilir. O gerçekten çok olgun bir kadın yalnız, bunu tekrar belirteyim. Ben öylesine sormuştum, hani sürekli bu duvarda oturuyoruz, belki rahatsız olmuştur. Sen de genç kız sayılırsın artık."

"Niye rahatsız olsun ki, ne güzel oturuyoruz işte."

"Haklısın canım, oturalım böyle."

Oturduk. Diz dize. Onu öpmek için cesaretimi toplamaya çalışıyordum.

"Samet sol görüşlüymüş," dedi birden.

"Aşırı mı?"

"Evet. Baykal'a oy vermiş."

Bunun üzerine benim siyasi görüşümü sordu. En nefret ettiğim soru tipi, seçimde kime oy verdin mesela, herkes soruyor, sana ne! Senin verdiğine vermediğim kesin!

"Niye sordun?"

"Merak ettim. Sen de mi solcusun?"

"Hayır," dedim. "Ben muhafazakârım canım. Muhafaza etmek istediğim şeyler var. Bunların başında da sen geliyorsun. Aramızdaki yaş farkına rağmen, seninle sürdürdüğümüz düzeyli arkadaşlığımız geliyor."

"Teşekkür ederim Berke Ağbi."

"Bir şey değil canım."

Daha ne diyebilirdim ki.

* * *

Yine yaz geldi. Üniversiteyi kazanamayınca ve Dursun Amca da ikinci kalp krizinden ölünce tüpçü tamamen benim üstüme kaldı. Ben siparişleri alıyordum, Çılgın Kurt adını taktığım eleman da dağıtım yapıyordu. Babamı ikna etmiş, dandik kamyoneti sattırıp yeni bir Peugeot Partner aldırmıştım arada. Handan'ın kardeşi yine uğruyordu her geçtiğinde. Bütün haberleri veriyordu. Handan nişan yapalım demiş, Samet erken olduğunu söylemiş falan. Oyalıyordu kızı it.

Sonra bir gün cepten aradı Handan'ın kardeşi, "Bize su getirebilir misin Berke Ağbi?" dedi.

"İyi de siz suyu bizden almıyorsunuz ki?"

"Tüp getir o zaman, çabuk gel."

"Annenler evde mi canım?"

"Yok."

Telefonu kapattım. Böyle olacağı belliydi zaten, apartman duvarında otuz yedi sefer diz dize oturduk, iki sefer Cumhuriyet Caddesi'nde çay bile içtik. O on dört olmuştu, ben on sekiz. Daha da güzelleşmişti. Hatları iyice belirginleşmiş, yürüyüşüne bir ahenk gelmiş, çocukluktan kalma aptalca tavırların çoğunu –parmak arası terliklerle löp löp koşmak gibi mesela– törpülemiş, tam bir genç kız olmuştu. Ellerimi ovuşturdum. Beklediğime değmişti. Handanlara gittim, kapı aralıktı.

"Tüp nerede?"

"Saçmalama canım. Neden çağırdın beni?"

Elimden tuttu, içeri çekti yavaşça.

"Gel," diye fısıldadı.

Girdim. O ince beline sarılsam mı sarılmasam mı diye düşünürken, "O burada," dedi.

"Kim?"

"Samet, yarım saattir bizde. Ablam çağırdı, annemler evde değil diye."

"E, ne yapayım?"

"Hani çok pis döveceğim diyordun."

"Öyle bir şey dediğimi hatırlamıyorum."

"Bana öyle dediler. Arkasından Avarel dedin diye, onun yanında herkes biraz Red Kit sayılır dedin diye, gözünü morartmadı mı geçen yaz?"

Sen yetiştirmeseydin bu lafı, gözüm morarmayabilirdi değil mi canım diyecekken, "Nerede lan o it?" dedim.

"Handan'ın odasındalar."

Kapıyı tıklatıp girdim. Samet, Handan'a sarılmıştı, yarı çıplak öpüşüyorlardı. Ön sevişmede yetişmiştik Allah'tan. Baskını yiyince ayrıldılar. Handan göğüslerini kapatarak banyoya kaçtı. Yine üstüme yürüdü Samet. Boyu nereden baksan bir seksen beş. Benden yakışıklı olduğu da kesindi, bebek yüzlü diye tabir ediyorlar kendisini. Avarel lafına bundan çok içerlemişti herhalde.

"Ne işin var burada?" diye sordu.

"Asıl senin ne işin var!"

Muhabbeti çok uzatmadı, bir sağ oturttu karnıma, iki büklüm oldum, kaldırdı, bir de çeneme oturttu. Yere serildim. Elimin dışıyla ağzımdaki kanı sildim. Silahı çektim. Durdu. "Gerçek değildir," dedi. Bir adım daha attı. Şarjörü çıkardım, gösterdim, hızla kapattım, emniyetini açtım. Gerçek olduğuna inanınca dondu kaldı, rengi attı. Ayağa kalktım. Handan, gör sevdiğin adamı! Silahla üstüne yürüyünce geri çekilmeye başladı. Ateş etmeyecektim, kabzayla kafasını yaracaktım sadece. Handan'ın kardeşi araya girdi. Samet'in önüne geçip iki kolunu açtı.

"Yapma lütfen Berke ağbi. Yapma lütfen!"

"Sana ne oluyor?"

"Bırak lütfen, yapma!"

"O zaman niye çağırdın beni canım?"

"Öldür diye mi çağırdık? Seviyorum onu!"

Samet'le beraber ona döndük. Handan da banyodan çıkıp baktı kardeşine. Hepimiz öyle durduk, biri gelip o halimizin yüzlerce fotoğrafını çekebilirdi. Handan'ın kardeşi bozdu pozu, Samet'in yüzündeki şaşkınlığı görünce yakasına zıpladı. "Öptün beni," dedi. "Yalan mı? Öptün beni! Apartman duvarında otururken öpmedin mi kaç sefer? Yalan mı?"

"Bu ne rezillik!" diye bağırdım. "Ablasını cinsel ilişkiye zorladığın yetmiyormuş gibi bir de şu küçücük kızcağızı öpmeye mi yeltendin? Utanmıyor musun itoğluit! Sübyancı şerefsiz!" Handan'ın kardeşini elimin tersiyle ittim. Duvara yapışıp yapay bir hüzünle ağlamaya başladı. Silahı Samet'in başına dayadım.

Handan, "Vur!" dedi.

Handan'ın kardeşi bana döndü, dizlerime sarıldı, "Vurma," dedi. "Vurma lütfen Berke ağbi. Ecevit'in de durumu kötü, bundan sonra genel af çıkmaz, ömür boyu yatarsın."

"Yatarım canım!"

"Berke ağbi! Lütfen! Manyaklaşma Allah'ını peygamberini seversen!"

"Sen karışma canım! Şimdi bu silahı bir yalan makinesi gibi düşün Samet! Yalan söylersen vururum seni. Tamam mı lan?"

Samet titriyordu, "Tamam," dedi.

"Onu da istedin mi?"

"Kimi?"

"Kimden bahsettiğimi biliyorsun."

"Kimi?"

Silahı iyice bastırdım.

"Kimden bahsettiğimi çok iyi biliyorsun Samet." Kızlara döndüm, "Siz de biliyorsunuz! Bilmiyorum diyen varsa tetiğe basarım. Bilmeyen var mı?"

Cevap yok.

"İstedin mi Samet?"

Samet ağlayarak, "Evet," dedi. Silahın kabzasıyla başına vurdum, "Görün sevdiğiniz adamı," dedim.

Çıktım. Birahane. Sekiz bira, bir kâse fıstık. Masaya yumruk. Bağırdım, "Kâinatta yapayalnızım!" Gülenler oldu. Bana alışmışlardı, hemen kovmuyorlardı artık. Yine de hesabı ödeyip gitme vaktimin geldiğini söyledi birileri. Bardağımı kaldırdım, "Giderdim elbet," dedim. "Giderdim dostlar! İnandığım birtakım değerler olmasaydı giderdim çoktan. Ama dehşetin dibindeyken, bütün dünya bana sırtını dönmüşken, beni hâlâ ayakta tutan şeyler var çok şükür. Bunların başında da sizler geliyorsunuz. Şu birahanede içtiğimiz fıçı biralar geliyor. Bu hain, aşağılık dünyanın gemisi batarken gururla gülümseyebilenlere ne mutlu! Ne mutlu aşkları yüzünden haysiyetlerini kaybetmeyi göze alabilen adamlara! Hepinize afiyet olsun!"

Bardağı diktim. Daha beter güldüler. Hesabı ödeyip çıktım. Sağa sola tutuna tutuna eve gittim. Ertesi sabah kıraathanenin önünden geçerken babam çağırdı. Boş bir masaya oturttu beni.

"Apartmanın girişindeki lambayı sen mi kırdın Bülent?"

"Hangisini?"

"Otomatik yanan, sensorlu lamba."

"Hayır."

"Komşu görmüş, yalan söyleme. Süpürge sapıyla kırmışsın dün gece."

Önüme baktım.

"Neden kırdın?"

Cevap yok.

"Hasta mısın evladım? Söyle bana, neyin var, neden kırdın lambayı, yapma böyle..."

"Kırdımsa kırdım, ne olacak! Çok mu değerliymiş?"

"Lamba senden değerli mi evladım, lambanın amına koyayım, lamba kim? Yöneticiye de dedim. Lambanızı sikeyim, kaç paraysa veririz. Sen değerlisin benim için."

"Beni görünce yanmıyordu baba."

"Nasıl ya?"

"Görmezden geliyordu, yanmıyordu. Kaç sefer yok saydı beni."

"E beni görünce de yanmıyordu bazen, böyle el sallayacaksın havaya doğru, o zaman yanıyor."

"Hadi ya! Sahiden mi?"

"Evet. Ucuzundan takmışlar. Bizimle bir alakası yok."

Babama sarıldım, yıllar sonra.

Hikâyeler 2008
Ankara-İstanbul-Yalova

Teşekkür

Beni erkek çocuk hikâyeleri yazmaya teşvik eden
Levent Cantek'e teşekkür ederim.
O olmasaydı bu hikâyeler olmazdı.
Olsa bile bu biçimde olmazdı.